Chanter
ma vie

NANA MOUSKOURI

Chanter ma vie

BERNARD GRASSET

PARIS

Dialogue Intime

Si c'était à refaire
Je choisirais le même destin.
Dans mes souvenirs se croisent et
se retrouvent tous ceux et celles
qui m'ont aidée, se dessinent
les sentiers parcourus, parfois
ponctués de tristesse, le plus souvent
de joie, d'espoir, et d'amour.
Tout ce qui a tracé ma route,
tout ce qui a fait de moi ce
que je suis aujourd'hui

à ma mère à mon père

à ma famille, à mes amis

I

Derrière le grand écran

Nana, m'a-t-on dit un jour, quel drôle de nom !
C'est pourtant le mien. Nana est le diminutif de
Joanna et c'est ainsi que mon père, ma mère et ma
sœur aînée, Jenny m'ont toujours appelée. A l'école,
l'habitude s'est vite prise, même si certains professeurs tenaient à m'appeler Joanna. Je détestais ça :
m'entendre prénommer ainsi m'était tellement peu
familier que chaque fois je marquais une hésitation.
Ce nom sonnait à mes oreilles comme une répri-
mande. Alors que Nana représentait le symbole de
l'amour que me portaient mes proches. En m'appelant
Nana, les gens qui pénétraient dans mon univers,
professeurs, puis amies, tous ceux qui au cours de ma
vie ont compté pour moi manifestaient la même
affection. C'est pour cela que je souhaite être Nana et
non pas Joanna.

Les parents de papa étaient originaires du Pélopon-
nèse. Ceux de maman vivaient à Corfou. Ils se sont
rencontrés à Athènes. Elle était ouvreuse dans un
cinéma où il était projectionniste. Ils se sont mariés

9

très vite sans attendre de bien se connaître. Ma sœur Jenny avait deux ans quand ils sont partis en Crète, pour installer un cinéma dans une petite ville qui s'appelle La Canée. Il faut oublier ce qu'est La Canée aujourd'hui, avec son port et les milliers de touristes. A l'époque c'était une grosse bourgade de pêcheurs. C'est là que je suis née et que j'ai passé les trois premières années de ma vie avant que toute la famille ne reparte pour Athènes prendre possession d'un nouveau cinéma.

En Grèce, il y a le cinéma d'été et le cinéma d'hiver. L'été, cela se passe en plein air, et l'hiver dans une salle. Le cinéma d'été c'est toute mon enfance. Nous vivions là derrière l'écran, dans une petite maison avec deux chambres, une cuisine minuscule et pas de salle de bain. Il y avait un jardin. Je me souviens du parfum de « l'agazia », une variété de mimosa, mais qui, chez nous, est un arbre et pas ces petits buissons à boules jaunes. Il y avait aussi des petits rosiers et des jasmins. Le jasmin était partout, jusque dans la cour où nous avions un poulailler et beaucoup de pigeons. J'ai encore leur roucoulement dans les oreilles et le froissement de leurs ailes lorsqu'ils se précipitaient contre le grillage à l'heure où ma mère leur donnait à manger. Il y avait aussi quelques colombes. Des amis m'en avaient offert une paire. A l'époque, on offrait volontiers des colombes, des pigeons ou même un rapace. C'est un cadeau chargé de symboles.

Enfin, nous possédions bien sûr un chat — Kitsos — et une chienne — petit loulou blanc — qui était pour moi la plus belle du monde.

Le cinéma où mon père travaillait était très grand, à mes yeux de petite fille. La cabine était accotée à la terrasse d'une maison voisine et on y accédait par un escalier de fer. Depuis leur terrasse, les voisins et leurs amis pouvaient voir les films à peu de frais. Le parterre était gravillonné avec, au centre, une piste en ciment sur laquelle, l'hiver, nous faisions du patin à roulettes. (Si je ne suis pas sportive aujourd'hui, vers quatre ans, je roulais comme un bolide sur mes patins.) L'été, tout l'espace était occupé par des fauteuils de paille que mon père et ma mère disposaient soigneusement chaque après-midi.

De chaque côté de la petite scène devant l'écran, il y avait deux massifs de marguerites et, l'été, dans la nuit chaude, pendant que les images en noir et blanc défilaient sur l'écran, nous nous enivrions des senteurs de jasmin et d' « agazia ». C'était une sorte de jardin de rêve qui embaumait et vivait la nuit. Et tout cela, en plein Athènes, dans un quartier maintenant envahi par les immeubles modernes.

Nous habitions à deux ou trois cents mètres d'une grande brasserie dans laquelle on fabriquait la bière Fix. On dit que cette bière n'est pas très bonne mais, pour les Grecs, la Fix, c'est la bière nationale. Et, pour moi, la brasserie Fix a eu une autre importance puisque c'est dans les abris sous cette usine que, dès le début des bombardements, ma sœur et moi allions nous réfugier quand nous entendions les sirènes.

Mon premier souvenir est lié à la guerre. Un soir, comme tous les autres soirs d'été, après la dernière séance, mon père a éteint toutes les lumières mais.

curieusement, la radio est restée allumée et j'ai même trouvé qu'elle marchait très fort.

Moi je rêvassais, assise, les jambes pendantes, au bord de la scène du cinéma dans cette nuit superbe, unique, semblable à nulle autre dans le monde, avec la lune qui me regardait.

Et brusquement, il y a eu un grondement dans le ciel, comme pour annoncer la pluie. Puis des ombres, semblables à des oiseaux géants. Ce sont des avions. Où vont-ils ? D'où viennent-ils ?

Et la radio annonce que nous venons d'entrer en guerre. J'entends la voix de papa : « Mon Dieu ! » Et la voix de maman : « Tu dois partir au front avec les autres... »

La guerre, la guerre ? C'est quoi ? Papa va partir ? Et les oiseaux de fer, la nuit ? Pourquoi tout ça ?

— Maman t'expliquera, plus tard, dit mon père. Maintenant tu vas au lit.

Jenny, ma sœur aînée, dort depuis longtemps. Dommage : elle n'a pas vu la lune. Tant mieux : elle n'a pas vu l'ombre des avions et elle ne sait pas que c'est la guerre. Demain matin, maman nous expliquera.

C'est la guerre ! Il y a des bombes qui tombent du ciel. Les bombes détruisent la vie et les maisons. Les gens s'entre-tuent. On ne s'aime plus. On ne comprend plus. On se défend. Il n'y a plus d'amour ! Il y a la guerre.

Jusqu'à ce moment, je savais que, lorsqu'il n'y a plus de soleil, il pleut. Mais la pluie donne la vie, elle arrose la terre qui en a tant besoin. Et j'aime la pluie autant que j'aime la mer. Mais les bombes ! Elles détruisent tout : les maisons et la terre, les hommes, les bêtes, les arbres. Tout ! La mort, la guerre, l'occupation...

Après cette soirée étoilée, mon père est parti très vite, puisque la guerre avait été déclarée. Il est parti comme simple soldat. Il fallait défendre le pays. Nous sommes restées seules avec ma mère qui travaillait, pour nous nourrir. Elle était seule, tout reposait sur elle. Ces premières années de ma vie, j'ai vu ma mère souffrir. Se sentait-elle démunie, isolée ? Tout cela à la fois sans doute, puisque sa famille était loin, et son mari absent. Evidemment, il y avait les voisins mais, par fierté, elle ne voulait pas demander d'aide. Elle avait si peu d'argent qu'il était hors de question pour elle de nous faire garder. Alors, quand nous n'avions pas classe, nous restions seules à la maison. Maman devait trembler de nous savoir exposées dans cette période de bombardements. Elle n'avait pas le temps de quitter son travail pour revenir nous mettre à l'abri. Dès que les sirènes commençaient à mugir, nous courions donc à la brasserie Fix. Pour nous, c'était une aventure plutôt joyeuse.

Au début, la guerre, c'était seulement l'absence de papa, et maman qui travaillait au-dehors. Un moment qui changeait notre vie de petites filles, et qui nous transformait, Jenny et moi, en « presque grandes personnes ». Laissées à nous-mêmes, nous jouions à être adultes. Et nous nous amusions beaucoup à prendre l'air sérieux.

Puis, très vite, il y a eu l'Occupation. Je n'ai pas de souvenirs précis de cette époque, mais plutôt des images. Et, quand je découvre, au hasard d'un film ou sur une photo, une petite fille à l'air hagard, des hommes à terre, au milieu de la rue, qui ne respirent plus, un enfant aux yeux pleins de peur, au regard perdu, des cris, des uniformes, des mitrailleuses, des chiens, tout cela revient à ma mémoire et ma gorge se serre, mon cœur se met à battre. Car la petite fille, c'est moi... et ces images, je les ai vécues...

Des gens sont rassemblés sur une place et les nazis crient et tournent autour d'eux, ils les bousculent, ils les battent. Les femmes portent leurs enfants dans leurs bras. Ma mère nous serre contre elle. Je ne comprends pas mais je sens la peur de ma mère et elle me la communique. Je ne peux pas crier, j'ai la bouche sèche. Ça dure des heures, il fait chaud. Je voudrais boire mais il faut rester debout au soleil. Un bébé pleure interminablement. Puis un camion arrive, on emmène des hommes et des femmes. Il y a des cris, des gens qui appellent, qui se débattent. Ma mère presse ma figure dans le creux de son cou. Les camions démarrent et puis, plus rien. Un silence lourd. Et puis encore des ordres, ma mère bouge, nous pouvons partir pour cette fois, mais la prochaine, qui sait ? Elle tient ma sœur par la main, et moi je suis dans ses bras. Nous rentrons à la maison sans dire un mot.

Une autre fois, nous allons à l'école, ma sœur et moi et, au bout de la rue, des soldats sont là. Une bombe a éclaté quelques instants plus tôt. Deux hommes sont à terre, il y a du sang. La jambe d'un d'entre eux a giclé plus loin. Je flageole. Mon estomac se retourne. Les soldats nous empêchent d'avancer. Il y a quelques autres enfants comme nous. On nous pousse les uns contre les autres. Ils disent :

— Où est votre papa ? On va vous tuer si vous ne dites pas où est votre papa.

Je regarde ma sœur. Elle est grande. Elle ne dit rien. Elle ne pleure même pas. Alors moi, je ne pleure pas. Les soldats braquent leurs armes sur nous. Il y a un chef qui crie :

— Allez dites, dites où est papa.

Et puis quelqu'un arrive en voiture, un autre chef probablement, il dit quelque chose, et c'est fini. On peut repartir. J'ai eu tellement peur que j'ai fait pipi dans ma culotte. La guerre c'est la peur, l'horreur et la faim. A n'en plus finir.

Il y avait toujours des gens entassés sur les camions militaires, des gens morts de faim, des gens tués pour un oui, pour un non, par injustice, par cruauté. Et la Résistance s'est organisée petit à petit. Papa s'est engagé.

Maman craignait les dénonciations. Si on venait le chercher à la maison, on nous emmènerait aussi... Maman ne laisserait pas faire ça. Nous changions de quartier très fréquemment. Un ami arrivait au milieu de la nuit, il fallait se lever immédiatement, s'habiller, prendre son sac, ne pas faire de bruit. Vite, vite. On nous emmenait chez d'autres amis, dans un quartier différent, moins dangereux. Parfois même, chez des inconnus qui nous accueillaient silencieusement, avec une grande gentillesse dans les yeux. On nous installait par terre, dans une cave ou dans de vastes chambres luxueuses. On ne savait pas où on allait tomber. Rien de tout cela ne surprenait notre âme d'enfant. La guerre, quand elle nous faisait voyager, ressemblait à des films entrevus dans le cinéma de papa. Elle prenait l'air familier des images de notre petite enfance, « d'avant ». Nous restions une nuit ou quelques jours, et puis, quand l'endroit devenait dangereux, nous repartions ailleurs.

Des hommes sortaient du maquis, parfois en plein jour, pour savoir où était leur mère, ou leur frère, ou leur fils, pour venir embrasser leurs enfants. Papa débarquait ainsi, alors que nous pensions l'avoir perdu, ou que nous l'imaginions loin de nous. Il prenait maman dans ses bras, nous faisait sauter en l'air en nous disant combien il nous trouvait grandies et jolies. La peur n'avait pas de prise sur lui, ni la fatigue, ni la violence. Il était le même : gai et rieur. Quand il nous retrouvait chez des hôtes de hasard, il leur offrait une bouteille de vin, les remerciait chaleureusement et disait :

— Vous en avez de la chance d'héberger mes petites femmes, elles sont tellement adorables.

Tout le monde riait. Et puis papa disparaissait comme il était venu et c'était de nouveau l'horreur.

Ce conflit, par moments, nous faisait perdre la raison, la confiance et l'espoir dans la vie, parce que nous ne parvenions pas à en comprendre les motifs... Pourquoi nous faisait-on la guerre, pourquoi nous tuait-on ? Pourquoi devais-je avoir peur et faim ? Pourquoi nous ? Qu'avions-nous fait de si terrible ? Et, pourtant, face à cette guerre atroce, il y avait l'amitié, la solidarité qui naissait et vivait, forte et chaleureuse entre des inconnus, comme une fleur magnifique. Sans ces amis occasionnels ou fidèles, sans ces alliés d'une nuit, je crois que ni moi, ni ma sœur, ni mes parents ne serions restés en vie dans ces années de haine et de mort.

La famine était terrible. Des gens mouraient de faim. Et, après les rares légumes du jardin, il est arrivé un moment où nous n'avions plus rien. Ma mère a tué quelques pigeons. Nous ne pouvions plus les nourrir, mais, indignées, nous nous sommes refusées obstinément à les manger. Alors, nous avons décidé de les laisser libres pour qu'ils aillent chercher leur pitance. Tous les soirs, ma sœur et moi attendions leur retour. Quelle joie quand ils se posaient sur nos bras avant de regagner leur perchoir ! Mais ils revenaient de moins en moins nombreux. Et, un soir, aucun n'est rentré. Ma mère a dit qu'ils ne reviendraient plus. Ils avaient probablement été capturés.

Lorsqu'il pleuvait, ma mère était contente parce qu'elle sortait pour aller chercher des escargots. C'est tout ce qui nous restait. Elle les faisait bouillir et on les mangeait avec des herbes. Ils avaient un goût de caoutchouc, un peu écœurant, même avec des épices ou des herbes. En y pensant, je retrouve dans ma bouche ce goût fade et nauséeux à la fois. Ah, je déteste les escargots, même en beurre d'ail. Mais si cette sensation de faim occupait beaucoup de notre temps, elle n'était pas l'essentiel : je continuais à jouer comme les enfants de mon âge, et à chanter des airs que m'apprenait maman. Bien entendu, il n'était pas question d'école, et c'est Jenny qui me donnait des leçons de calcul et d'écriture... Parfois la guerre avait de bons côtés.

Et puis, la joie et le bonheur sont revenus ; un peu teintés d'amertume et de tristesse en pensant à tous ceux qui n'étaient pas là quand nous nous sommes retrouvés, pour la première fois, entre amis qui avions survécu à la guerre.

Nous étions tous là, rassemblés devant un plat de haricots blancs, un vrai festin. Les Alliés organisaient des soupes populaires dans la rue. Les gens faisaient la queue et, en présentant un coupon, ils emportaient de la nourriture. A la vue des haricots, ma sœur avait les yeux hors de la tête. Ce devait être pareil pour moi... Maman nous a dit de manger doucement, et qu'elle nous donnait sa part. Elle a prétendu que la joie lui avait coupé l'appétit. Une larme coulait sur sa joue. C'était probablement un mensonge. Elle a quand même accepté de manger deux cuillerées de l'assiette de papa. Et nous avons ainsi fêté le premier Noël de l'après-guerre. Il manquait certains membres de la famille. Nous, nous avions eu de la chance. Nous étions réunis, tous les quatre, la vie redevenait normale. Je n'ai jamais oublié.

Mais nous n'étions pas au bout de nos peines : la guerre civile a éclaté. Nous avions cru que rien ne pouvait être pire que l'occupation allemande. Nous nous trompions. Cette lutte fratricide dépassait tout. J'avais vu des morts, évidemment, pendant la guerre, et jusque devant notre porte. Lorsque les résistants montaient vers le maquis, ils passaient souvent près de chez nous. Les Allemands les poursuivaient et s'ils revenaient de la montagne bredouilles, déçus de leur traque inutile, ils tuaient n'importe qui, à coups de revolver ou de matraque. Et souvent, leur rage de vengeance s'assouvissait là, dans mon quartier. Petite fille, la mort m'était familière. Mais elle était provoquée par des étrangers, et non des Grecs. La guerre civile nous a fait franchir un pas de plus dans l'horreur : des frères s'entre-tuaient parce que l'un était pour un parti, et l'autre contre. Une fois de plus, la petite fille que j'étais ne comprenait rien, et je crois même que ma mère me rejoignait dans cette incompréhension...

Ma famille a été épargnée : personne ne s'est déchiré. Mais, parmi les amis et relations qui nous avaient beaucoup aidés à l'époque de l'Occupation, il y a eu des drames affreux. La communauté solide et courageuse qui s'était formée devant l'occupant vola en éclats. Ainsi, chez des proches de mon père, la famille se trouva divisée par une haine mortelle : le fils aîné, capitaine de l'armée, s'affrontait sans cesse avec son jeune frère encore étudiant. Celui-là était de gauche et l'autre était, disons de droite, puisqu'il était dans l'armée. Le capitaine fut assassiné pendant une opération des forces nationales. Mais, dans la mort, la haine entre les deux frères a subsisté : le cadet refusa un dernier adieu à son aîné au moment de la mise en bière. Il n'assista pas à l'enterrement, tourna le dos à sa famille et disparut. Des choses comme ça m'ont marquée. L'idée qu'un pays peut se diviser aussi profondément m'est insupportable. La guerre c'est la guerre, mais la guerre à l'intérieur d'un pays, c'est inadmissible. Dans la guerre, chacun peut dire qu'il défend son pays, qu'il lutte pour défendre sa famille, ses biens, et son propre pays. Mais est-ce qu'une idée peut être forte au point de séparer deux frères ? Est-ce qu'on ne peut pas trouver un idéal commun ? Est-ce qu'il faut arriver jusqu'à la mort, et, même alors, rester muré dans ses convictions ? Parfois, les gens me disent : « Oh oui, vous chantez la vie en rose, vous la voyez ainsi. » S'il y a quelqu'un qui ne la voit pas en rose, c'est bien moi, mais ça ne veut pas dire qu'elle ne peut pas le devenir. La tristesse et le bonheur sont proches voisins, les deux ont une fin, et les deux peuvent finir dans les larmes. Et puis, quand on a ouvert les yeux devant le jeu, la cruauté, la mort, l'injustice, on devient agressif ou on cherche la paix toute sa vie ! Et c'est mon cas.

II

Ma mère

Depuis la mort de ma mère, voici treize ans cette année, je pense à elle encore plus qu'avant. Sa mort ne m'apparaît pas comme une séparation... La vie nous amène à croire en un Dieu, qu'il s'appelle Dieu, ou Mohammed, ou Bouddha, peu importe. Moi, ça ne me préoccupe pas vraiment. Mais quand ma mère est morte, j'ai eu du mal à me persuader qu'elle était partie dans un monde meilleur gouverné par Dieu et que je ne la reverrais plus. Je crois au contraire qu'elle est près de moi et qu'elle me donne sa force. Quand ma mère m'a quittée, j'ai regretté profondément de n'avoir pas pu lui parler, lui dire certaines choses. J'avais tant de questions à lui poser. Toute ma vie j'avais hésité, raté sans doute les occasions et, ma mère disparue, je suis restée avec la soif des réponses qu'elle ne m'a jamais données. Peut-être qu'au cours de ma vie à venir, peut-être qu'en m'acheminant vers la fin, oui, peut-être les trouverai-je.

D'où tenait-elle par exemple cet amour de la vie ?

Ma mère possédait au plus haut degré cette envie extraordinaire de vivre, et de survivre. Cette énergie lui a fait traverser les guerres et les épreuves imposées par la vie sans jamais faillir à la tâche. Mais de cela comme du reste, elle ne m'a jamais beaucoup parlé.

Pensait-elle que j'avais peu de moyens ?... Peut-être avait-elle jugé ma sœur beaucoup plus douée que moi. A-t-elle cru que ce que je pouvais accomplir serait sans importance ? Que pensait-elle de moi, ma mère ? A-t-elle toujours préféré ma sœur ? Peut-être...

Je la revois : une femme encore belle, souvent fatiguée, toujours active. Une femme très triste, très dure avec elle-même comme avec les autres. Elle ne dévoilait jamais ses émotions parce qu'elle était trop préoccupée par la survie de la famille, et sans doute parce qu'elle était un peu amère. Visiblement elle refoulait au fond d'elle-même ses peines autant que ses joies. Elle n'avait pas fait ce qu'elle désirait le plus ardemment : chanter. Mais je ne crois pas qu'elle l'ait jamais avoué. Et, au fil des années et des épreuves qu'elle a endurées, maman a dû finir par se résigner, enfouir ce désir inassouvi et l'oublier...

Ma mère a été très fière de moi quand elle a compris que j'avais vraiment réussi. Et pourtant : par moments il lui revenait ce regret que je ne sois pas chanteuse d'opéra, parce que c'était cela son grand rêve. Ainsi j'étais une chanteuse dite de variétés, et non une diva. Je préférais être une bonne chanteuse dans ma catégorie qu'une cantatrice de second plan... ce que j'aurais pu être. Quelle que soit l'activité que l'on choisit, si elle est réussie, sincère, si elle apporte le bonheur à vous comme aux autres, cela a de la valeur.

Ma mère est issue d'une famille très moyenne, des montagnes de Corfou ; une famille nombreuse dans laquelle chacun a dû se débrouiller très tôt. Avant d'être ouvreuse dans un cinéma, elle a commencé à travailler comme femme de ménage. En fait, on dirait aujourd'hui qu'elle était jeune fille au pair : il était plus économique pour sa famille qu'elle travaille quelque part en étant logée et nourrie. Elle a été engagée par un couple, des gens adorables. Tous deux étaient employés dans une famille de l'aristocratie grecque à Corfou. Il était cuisinier et, elle, femme de chambre. Ils n'avaient pas d'enfants et il me semble qu'ils ont reporté toute leur richesse d'affection sur ma mère qui prenait soin de leur maison pendant qu'ils étaient absents. Ils se sont pris de tendresse pour elle et l'ont adoptée. D'une certaine manière, ils appartenaient à la petite-bourgeoisie, et leur fréquentation de la noblesse leur apportait un vernis social. Ils donnèrent à ma mère une éducation qu'elle n'aurait pas eue dans les montagnes de l'île. A leur contact, elle a appris beaucoup de choses, elle cuisinait admirablement, elle tenait très bien une maison, elle cousait, brodait, tricotait, crochetait, toutes ces choses qu'une femme accomplie doit savoir. Mais maman est restée toute sa vie une femme simple à qui il manquait le goût du beau et, d'une certaine manière, l'art de vivre. Comment le lui reprocher ? Elle qui s'est si longtemps battue pour assurer notre subsistance...

Quand ses parents adoptifs — entendez cela au figuré, ma mère restait très attachée à sa famille — ont vieilli et pris leur retraite, ma mère est venue à

Athènes. Le spectacle l'avait toujours fascinée... Elle a trouvé un emploi d'ouvreuse de cinéma. Et, un jour d'hiver, au tout début des années trente, elle a rencontré un projectionniste très beau et très gai. Elle qui était timide et effacée a été immédiatement séduite. Elle est tombée amoureuse du projectionniste : c'était papa. Ils se sont mariés très rapidement. Pas question d'avoir une liaison sans être mariée. En dix jours elle est devenue Madame Mouskouri. Ni l'un ni l'autre n'avait d'argent et le cinéma, celui d'été et celui d'hiver, a toujours été leur maison. Ils se sont installés à Athènes puis sont partis en Crète où je suis née.

Ma mère chantait. Ma mère chantait toujours des chansons très romantiques, elle chantait beaucoup, parce qu'elle était une chanteuse au fond de son cœur. Je revois ma mère, allant et venant dans la cuisine, sans cesse en mouvement. Et sa voix si pure, parfaite. Elle préparait le dîner et ses mains s'agitaient au-dessus des assiettes. Ou bien assise près de la fenêtre avec l'odeur de l' « agazia » et du jasmin, je revois le geste élégant de sa main qui allait et venait au-dessus d'un morceau de tissu blanc, une broderie qu'elle entretenait à longueur d'année et qui devenait un col pour ma sœur ou pour moi ou bien une nappe... et peu à peu la douceur nostalgique, si triste, de ses refrains, me prenait le cœur. Je la regardais, elle ne s'en doutait pas. Deux larmes roulaient sur ses joues et tombaient sur le linge. Moi j'étais fascinée : elle pouvait pleurer en chantant tellement elle se donnait à sa musique, tout en étant parfaitement attentive à ce qu'elle faisait. Ma mère chantait-elle des airs tristes parce qu'elle avait du chagrin, ou bien choisissait-elle cette musique pour sa beauté et, prise par la mélodie, cédait-elle alors à ce que suggéraient les notes de musique ? Qu'en était-il ? Encore une question que je n'ai jamais posée. Toute petite fille, j'avais choisi la réponse : mes émotions, mes désirs ou bien mes espoirs, mes joies, tout, je les traduisais par une mélodie. Comme maman, pensais-je... comme maman et presque d'instinct. Etrangement, j'ai eu peu de contacts avec ma mère et pourtant je sais qu'elle m'a appris l'essentiel : vivre pour sa passion, vivre pour la musique et tenir, survivre envers et contre tout.

Maman était triste, je l'ai dit. Et elle avait sans doute de bonnes raisons pour cela : les angoisses de la guerre, la pauvreté, les déceptions que lui infligeait la vie... Oui, peut-être choisissait-elle des chansons mélancoliques parce qu'elles étaient le mieux adaptées au blues de son âme. Mais je ne supportais pas de la voir triste. Dès que je surprenais des traces de découragement sur son visage, je lui racontais des petites histoires que j'avais apprises à l'école. Je faisais tout ce que je pouvais pour la dérider. J'étais partagée entre le bonheur d'écouter maman chanter ses airs doux et mélancoliques, et l'anxiété de savoir ce qu'ils traduisaient. Quel enfant peut supporter de voir sa mère pleurer en chantant ? Puis j'ai découvert que ma mère adorait qu'on lui raconte des rêves parce qu'elle rêvait beaucoup, et moi aussi d'ailleurs je rêve énormément. Alors quand je voyais qu'elle n'était pas très bien, je me blottissais contre elle :

— Je vais te raconter ce que j'ai rêvé hier soir, ça t'intéresse ?

— Qu'est-ce que tu as rêvé ?

— Eh bien, figure-toi que j'étais en haut de l'escalier et je ne pouvais pas descendre. J'étais prête à tomber.

Ma mère poussait un cri.

— Et tu es tombée ?

— Non, je me suis retenue. Je ne voulais pas descendre, je voulais monter. Mais j'ai eu très peur.

Elle me serrait dans ses bras.

— Tu ne pouvais pas descendre l'escalier ?

— Si je l'avais descendu, je serais tombée.

Elle chassait la peur. Elle me parlait de mon rêve.

— Peut-être que tu ne veux voir que le ciel bleu, le soleil, les oiseaux. C'est pour ça que tu veux monter et pas descendre. Mais tu ne tomberais sûrement pas si tu voulais descendre. Il est plus difficile de monter...

J'étais heureuse : j'avais réussi à la distraire et elle s'occupait de moi.

Et puis nous nous remettions à chanter, parce que la musique c'était l'oxygène de notre famille. Papa nous rejoignait. Il chantait des *Kantades* comme on dit, des chansons du vieux temps. Papa et maman chantaient à deux voix. Ma mère interprétait des chansons grecques, mais aussi des chansons italiennes, parce que Corfou a été très influencée par les Italiens. Mon père avait une voix fausse, mais il adorait chanter, donc il était toujours présent. Les dîners, pendant les fêtes et avec des amis, finissaient avec des chants et des danses.

Dès que maman a vu que le chant nous plaisait, à ma sœur et à moi, que nous avions une jolie voix, elle nous a encouragées. Il y avait, à cette époque, deux sœurs très à la mode, que l'on entendait souvent à la radio et dont tout le monde parlait : les sœurs Kalouta. Elles chantaient, jouaient la comédie et faisaient des films. Tout le monde racontait leur histoire. La mère était l'imprésario des deux filles. Et je me souviens de papa se moquant de ma mère :

— Mais tu rêves, ma parole, comme tu n'es pas devenue une artiste toi-même, tu veux être, toi aussi, la mère de deux vedettes.

Il n'avait pas tout à fait tort : ma mère nous poussait plus que lui à agir, à progresser parce qu'elle avait cette volonté d'arriver. Elle voulait passionnément que nous réussissions. Et tant pis si ce n'était pas par la musique ou le chant. Mais son grand rêve était quand même Maria Callas.

Elle était à la fois possessive et autoritaire. Elle me disait :

— Dieu t'a donné du temps. Il faut travailler, travailler tout le temps.

Et ma mère n'arrêtait jamais. Pour elle la paresse était un péché terrible. Elle m'a transmis ça : si je passe une heure sans rien faire, je me dis : « C'est terrible, je n'ai rien fait, je traîne ! »

Plus tard, j'ai eu des conflits avec ma mère, surtout quand j'ai décidé de chanter ce que je voulais et comme je l'entendais. Elle jugeait que ma vie ne correspondait pas à ses critères. Elle ne comprenait plus, me voyait comme une fille dissolue... Mais notre opposition venait surtout de ce que nous avions le même caractère, fort et entêté. La douceur que tout le monde m'attribuait, ma timidité, n'étaient qu'apparentes, comme chez elle.

Quand je pense à ma mère, les regrets m'étreignent : elle voulait tant chanter et, tout comme ma sœur, elle a eu peur de se lancer. Elle a choisi de rester dans le rang. Et lorsqu'elle n'a plus eu à travailler, parce qu'elle avait compris que nous avions tracé notre chemin, elle n'a plus eu de raisons de se battre et, donc, plus de raisons de vivre. Elle s'est laissée mourir de tristesse. L'année de mes quarante ans. Je suis venue la voir pour lui expliquer mon divorce : elle connaissait Georges mon mari et, même si elle n'avait pas vraiment apprécié notre mariage, elle tenait à notre couple. Je lui ai longuement parlé. Elle m'a écoutée, comme d'habitude, sans un mot. Puis au bout d'un moment elle a dit :

— Je n'oserai plus sortir ni regarder les voisins en face.

Je ne savais pas si cela signifiait la honte ou la tristesse. J'étais certaine de trouver l'amour qu'elle n'avait jamais connu. Elle, en revanche, semblait convaincue que ma vie comme la sienne n'avait plus de sens... sinon grâce à la musique. Quelque part dans son cœur, elle a toujours voulu se séparer de mon père, mais elle n'en a jamais eu le courage. Elle qui était si forte, a eu peur de ce que penseraient les gens, et elle n'a pas voulu le faire avant que l'on soit en âge de comprendre. Et il était trop tard. Progressivement, elle s'est affaiblie.

Elle est morte après l'annonce officielle de mon divorce. Pourtant je persiste à croire qu'elle n'a pas complètement disparu. J'accepte l'idée que son enveloppe corporelle repose là-bas en Grèce, mais son âme reste au milieu de nous.

III

La fille de la chauve-souris

Papa est un homme simple qui a été à l'école des rues et du travail dès l'adolescence. Il n'a jamais fait réellement d'études. Projectionniste, c'était un métier qu'il adorait et lorsqu'il n'a plus travaillé dans un cinéma, il a été projectionniste de production. Papa, comme maman, aimait le spectacle, particulièrement la musique et l'opéra. Peut-être rêvait-il secrètement d'être acteur... Je l'ignore.

Lorsque papa et maman, qui était enceinte de moi, et Jenny qui avait deux ans vinrent vivre à La Canée en Crète, ils s'installèrent dans une vieille maison de bois, avec un escalier extérieur qui grinçait et une très gentille propriétaire au rez-de-chaussée, une brave femme qui, immédiatement, est devenue l'amie de maman. Papa avait laissé la charge de l'aménagement à maman : son travail l'absorbait énormément et le retenait tard la nuit. Une autre raison, le jeu — ce que j'ai baptisé la table verte — le retenait encore plus tard.

Le jour de ma naissance, il pleuvait. Comme d'habitude maman allait et venait dans la maison,

31

s'affairait pour que tout soit en ordre quand elle serait obligée de s'allonger. Les premières douleurs s'annoncèrent dans la soirée et maman attendit papa pour qu'il aille chercher la sage-femme. Il n'est rentré que très tard et, aussitôt, il est parti en courant. Pendant ce temps-là, maman avait confié Jenny à la voisine et s'était étendue. Elle resta là un long moment, de plus en plus inquiète, de plus en plus seule, au fur et à mesure que l'heure tournait. Finalement, désespérée, elle appela son amie du rez-de-chaussée qui confia Jenny aux voisins d'à côté et arriva, toute affaire cessante.

— Eh bien, ma petite, il n'aura pas trouvé la sage-femme.

La voisine mettait déjà de l'eau à bouillir, rangeait un peu la chambre, montait et descendait entre la cuisine et la chambre par l'escalier bruyant et instable. Chaque fois qu'elle montait, elle en profitait pour guetter l'arrivée de papa.

Maman s'énervait : ils étaient en Crète depuis peu. Elle ne connaissait pas La Canée et papa, sans doute, à peine mieux. Elle redoutait un accident ou bien, le pire... Mais pour ma mère, le pire n'était pas ce qu'on entend habituellement par ce mot. Je devais découvrir assez vite ce que cela signifiait pour elle.

La voisine continuait à s'agiter en bavardant pour rassurer maman qui n'espérait plus voir arriver la sage-femme avant moi. Et en effet, je vins au monde le samedi 13 octobre 1934 à 5 heures du matin. Je suis née coiffée. C'est-à-dire que ma tête était couverte d'une membrane. En France, c'est un signe de chance, chez nous les gens simples y voient plutôt un mauvais présage. J'étais un gros bébé brun et bruyant qui, déjà, donnait de la voix. Maman se débrouilla toute seule avec sa sage-femme d'occasion. Elle me coucha dans un petit couffin, but un peu de potage et se reposa. Jenny vint embrasser maman et faire connaissance du bébé puis alla se coucher... Papa était demeuré invisible toute la nuit. Maman sanglotait sans bruit lorsqu'il rentra bien après la dernière séance de cinéma. Il avait l'air déçu. Il la serra dans ses bras, s'excusa pour son retard et déclara qu'il espérait un garçon. Ma mère était craintive et anxieuse devant lui, elle l'interrogea timidement sur l'absence de la sage-femme :

— Bof, je ne l'ai pas trouvée. Mais je ne me suis pas fait de souci, tu étais en de bonnes mains, la preuve, répondit-il en me désignant.

Ces disparitions de papa étaient fréquentes, aussi bien à La Canée que lorsque nous sommes revenus à Athènes et que nous nous sommes installés dans le cinéma d'été. Il s'absentait une nuit et une journée entières. Il revenait parfois très sombre, parfois très gai. Maman ne disait rien. Elle pleurait beaucoup. Jenny s'interrogeait sans doute plus que moi. Mais, peu à peu, en grandissant, en devenant des fillettes, nous apprîmes à vivre au rythme des fugues paternelles, et peu à peu nous avons compris : papa jouait. Il jouait passionnément. Sa passion était le tapis vert.

Parfois, le soir, des amis de papa débarquaient à la maison. Ils apportaient des bonbons ou des petits jouets pour Jenny et moi. Maman savait ce que cela présageait.

— Allez, au lit les petites.

Elle nous envoyait dormir plus tôt que d'habitude, mais nous ne dormions pas. De l'autre côté de la porte, les discussions allaient bon train, puis un remue-ménage de chaises, la table que l'on débarrasse, des verres que l'on sort. Et le calme tombait. Alors on n'entendait plus que le bruit mat des cartes sur le tapis, et le claquement sec des jetons. « Je passe », « Pour voir »... « Je relance de deux »... Je regardais la raie de lumière qui encadrait la porte, elle me paraissait éblouissante dans la nuit. A force de la fixer, les yeux me brûlaient. A côté, on fumait beaucoup, des cigarettes grecques au goût acre. Et, peu à peu, la fumée gagnait la chambre. Tenny dormait. Comment faisait-elle ? J'avais la gorge en feu. Parfois, un raclement de chaises sur le parquet, des voix qui montaient un peu plus fort, des chiffres annoncés. Puis, de nouveau, le silence troué de mots que je finissais par connaître par cœur : « Quinte flush », « Une paire », « Je passe »... Et j'ai compris que, lorsque maman pleurait, c'était souvent après des nuits de jeu. Elle en voulait à mon père, c'est certain, sans jamais rien lui dire. Et lui n'avait jamais mauvaise conscience : il était gai, charmeur, vivant. Il était notre compagnon, infiniment plus câlin et complice que maman. Mais quand il était de mauvaise humeur, il était terrifiant. Une fois, à force de vouloir empêcher une bagarre entre lui et maman, nous sommes restées, ma sœur et moi, avec des bleus sur le visage très longtemps.

Papa jouait tout. Je crois qu'il jouait son salaire à l'avance, sur des années. Il misait toute sa vie sur les cartes, des mois d'abord et des années ensuite et il était donc automatiquement emprisonné à cause de ça. J'ai appris tout cela, très tard. Non par maman qui, malgré sa tristesse, nous tenait dans l'ignorance — sans doute pour nous protéger. Je l'ai compris, peu à peu, au fil des années.

Je le comprends mais je ne saurai jamais comment il est devenu ce joueur invétéré, ni comment il pouvait nous faire vivre dans cette incertitude, cette angoisse permanente de l'absence d'argent. Il avait cette espèce de fierté, de générosité, celle du grand flambeur qui joue pour le plaisir de jouer bien. C'était un merveilleux technicien comme dans son métier. Il était content quand il avait bien joué. S'il perdait, en ayant bien joué, il était heureux. S'il gagnait en ayant mal joué, il ne s'aimait pas. Je reste donc fière de lui car ce n'était pas quelqu'un qui jouait pour gagner à n'importe quel prix.

Papa avait un très fort sens de l'honneur. Pour lui, il était évident d'entrer dans la Résistance pendant la guerre ; tout aussi évident que de refuser les traîtrises que l'on sollicitait de lui et de ses proches pendant la guerre civile. De la même manière, il n'a pas admis du tout que je décide de renoncer à la musique classique sans rien demander à personne, sans tenir compte des sacrifices faits pour moi. Il a vécu cela comme une trahison. J'ai bien essayé de m'expliquer avec lui, à l'époque, mais il avait décidé de ne plus m'adresser la parole. Il y eut plusieurs mois terribles à la maison : papa silencieux mais toujours joueur, maman déprimée qui ne chantait plus et moi qui, par force, rentrais de plus en plus tard. Je n'ai jamais pu tenir rigueur à mon père de quoi que ce soit. Il est au centre de mon premier souvenir, il a toujours été pour moi la flamme de la maison si maman en était l'âme : il la réchauffait avec sa gaieté et son enthousiasme. Etait-il heureux ? Le tapis vert le retenait prisonnier comme un sortilège et je ne crois pas qu'il ait pu être heureux avant d'être beaucoup plus âgé, libéré de cet esclavage. Il cachait bien sa passion à nos yeux de petites filles et d'adolescentes. Mais il n'a jamais mesuré de quel poids d'angoisse, de peur et de honte sa manie a pesé sur nous.

Vers 18 ans, on me présenta à un producteur de cinéma. Il cherchait une jolie voix pour interpréter une chanson dans un film. C'était un homme important dans le métier, dont l'avis comptait. Il me regarda avec une espèce de sympathie un peu narquoise :

— Mais c'est la fille de la chauve-souris, dit-il.

Je me sentis devenir écarlate. La chauve-souris, c'était le surnom de mon père. A cause de sa vie nocturne, à cause de sa vie de joueur. Et probablement à cause de ses grandes oreilles. Je croyais que personne ne soupçonnait ce surnom et donc sa manie à part les quelques joueurs qui venaient chez nous. Et voilà qu'elle était étalée au grand jour et qu'elle rejaillissait sur moi comme une étiquette rouge. Je suis sortie du bureau les jambes tremblantes : j'étais tellement honteuse que je n'avais pu articuler un mot.

Je me suis juré de ne jamais jouer et je dois dire que je n'ai pas de mal à tenir cette promesse. Et pourtant, je me sens une âme de joueuse à ma façon. Je mets mon goût du risque dans la musique : quand je chante, bien sûr je me remets en question, mais je mets en jeu ma vie, mon existence, ma famille, mes amis. C'est un peu le lot commun : si on veut être vrai, et si on veut aller jusqu'au bout, eh bien on risque tout. Oui, on peut tout perdre à ce drôle de jeu. Par exemple, il m'est arrivé de ne pas disposer du temps normal que je devais donner à mes enfants. Bien souvent, je n'ai pas le temps de les écouter avec toute l'attention requise, pas le temps de leur donner l'affection dont ils ont besoin, et peut-être pas le temps de leur manifester... je ne sais pas quoi... peut-être la reconnaissance que j'ai vis-à-vis d'eux, comme je n'ai pas le temps de leur faire sentir combien je les aime. Heureusement, et là est ma chance, ils me comprennent, ils m'aiment aussi et me pardonnent comme j'ai pardonné à mon père. Le métier me tient, il est plus fort que moi, je lui sacrifie tout. C'est comme le jeu. Je sais que mon père aimait énormément ma mère, qu'il nous adorait, mais il ne le savait pas. Moi je sais l'amour que j'ai pour mes enfants, je me sens bien souvent écartelée... puis je plonge dans la musique et j'oublie tout. Mon fils Nicolas dit volontiers : « Maman est comme une colombe à la fenêtre, elle part, mais elle revient toujours. »

IV

Larmes et sacrifices

— Nana ? Nous allons au théâtre. Cette fois tu viens avec nous.

Maman souriait, elle savait que depuis longtemps j'attendais ce moment ; elle aussi. Pour la première fois depuis la guerre, les théâtres ouvraient leurs portes et tout le monde avait envie de s'y précipiter. On m'avait promis de m'y emmener puisque j'étais assez grande, mais seulement si j'étais assez sage. J'avais été une image.

A Athènes, le théâtre de variétés offrait un spectacle complet : chanteurs, danseurs, chansonniers ou comiques, prestidigitateurs, etc. Nous sommes donc arrivés au théâtre, Jenny, maman et moi. Moi, éblouie : le rideau peint, le stuc et les colonnes à feuilles d'acanthe, les sièges de velours, quelle splendeur ! Et pourtant le théâtre nous ressemblait : il sortait de la guerre et il avait souffert. Je ne voyais pas les fissures au plafond et sur les murs, la peinture écaillée, les fauteuils qui vomissaient leur peluche et la pâleur des décors. J'étais devant une scène avec de vrais comédiens. Ce n'était pas une image sur un drap blanc, c'était la réalité. Et entraînée dans un rêve,

39

dans un instant magique, portée au-devant d'eux par un irrésistible désir, je voulais monter sur scène, chanter, danser, déclamer en déchaînant les rires, quitter la salle plongée dans la pénombre et sauter en pleine lumière sur les planches. C'était un désir fou, irrépressible, et je fondis en larmes.

— Mais qu'est-ce que tu as ? chuchota maman qui avait horreur que l'on manifeste ses sentiments en public. Tu es malade ? Tu veux quelque chose ?

— Elle n'aime pas ça, assurait Jenny d'un air sérieux.

— Alors pourquoi ne me l'as-tu pas dit ?

Les gens se retournaient vers nous avec des « chut » retentissants. Je continuais à pleurer avec un entêtement inimaginable en gardant tout de même un œil sur le spectacle.

Nous sommes parties très vite dès le baisser de rideau. Maman avait l'air fâchée et Jenny, à ses côtés, était attristée et perplexe.

Finalement, de retour à la maison, calmée et rassérénée, les questions se mirent à pleuvoir :

— Alors ça ne t'a pas plu ? Tu as eu peur ? Mais qu'est-ce qui pouvait te faire peur ?

Papa me prit sur ses genoux.

— Qu'est-ce qu'elle a, ma petite fille ? grondait-il gentiment.

Et il se tourna vers ma mère :

— C'est pas croyable. Tu as remarqué comme elle va souvent sur l'estrade du cinéma ? L'autre jour je l'ai même surprise en train de chanter sur scène.

— Alors, ça ne te plaisait pas de voir de vraies vedettes ?

40

J'avais décidé de ne pas répondre. Ils ne comprendraient jamais combien je voulais monter sur scène.

— Tu as raison, disait ma mère, je l'ai trouvée hier encore grimpée là-dessus.

— Qu'est-ce que tu fais sur scène ? demanda papa.

— Qu'est-ce que tu fais sur scène ? répéta maman. Elle rêve. Tu sais bien que Nana est une rêveuse. C'est pour ça que je ne comprends pas pourquoi elle a tellement pleuré cet après-midi.

Je souriais pour ne plus inquiéter personne. Mais j'avais bien décidé dans mon for intérieur qu'il n'y aurait qu'un but dans ma vie : monter sur scène. Une fois là-haut, les projecteurs braqués sur moi, la foule venue pour moi, on verrait bien. Je chanterais probablement mais je pourrais peut-être aussi danser...

Le lendemain, ma mère revenait à la charge :

— Ça va mieux ? Tu ne pleures plus ? Alors qu'est-ce qui s'est passé hier ? Tu peux expliquer ?

Je me lançai :

— Je voulais monter sur scène.

— Monter sur scène, comme au cinéma de papa ?

— Non, monter sur scène avec les lumières et tout le monde.

— Mais qu'est-ce que tu aurais fait ?

Je haussai les épaules. Maman ne comprenait pas.

— Hein, qu'est-ce que tu aurais fait ? Tu aurais chanté ?

— N'importe quoi, je veux monter sur scène, faire n'importe quoi, mais être sur scène.

Ma mère éclata de rire et c'était si rare que je levai les yeux vers elle, très étonnée. Elle ne me croyait pas mais, en même temps, j'avais éveillé son intérêt. Elle se reprit et me regarda attentivement.

— Après tout tu as une jolie voix pour une si petite fille. Ta sœur a une plus belle voix, mais qui sait...

Elle resta songeuse.

Quelques mois plus tard, elle racontait ma crise de larmes à notre voisin, un retraité dont le jardin était mitoyen du nôtre. Il venait souvent, avec sa femme, au cinéma, et mes parents les connaissaient. Ce couple était d'un milieu plus aisé que nous mais ça n'empêchait pas l'un et l'autre de nous apprécier. Mes parents entretenaient d'excellentes relations avec eux. Le voisin, ayant réfléchi, suggéra :

— Vous savez, peut-être faut-il lui donner une chance dans ce domaine, qui sait ? Vous pourriez en faire une chanteuse...

Nos refrains passaient par-dessus la haie, il connaissait nos voix, Jenny et moi chantions toujours ensemble.

Il nous a conseillé une femme professeur au conservatoire. Maman nous a inscrites à son cours, ma sœur et moi. Elle n'imaginait pas les choses autrement : les deux sœurs toujours ensemble, comme des jumelles, pire, des siamoises. Après tout, il y avait à peine deux ans et demi de différence entre ma sœur et moi. Alors nous chantions ensemble, nous faisions de l'anglais ensemble. Si elle était moins forte que moi, on ralentissait, si elle s'arrêtait, on s'arrêtait.

Dès le début, ces leçons de chant furent mon instant de bonheur dans la semaine. Je courais au conservatoire, dans la hantise d'arriver en retard. Je houspillais maman, je traînais ma sœur. Jenny voulait bien chanter mais elle refusait de faire des efforts pour apprendre. A moi, rien ne paraissait impossible. J'apprenais des mélodies grecques, des chansons du folklore, et surtout la technique : je vocalisais avec passion.

Cela dura environ six mois. Jenny s'intéressait de moins en moins au chant et moi de plus en plus. J'avais le sentiment d'avoir trouvé ma voie. Et cette certitude — malgré mon âge, j'avais douze ans à peine — me donnait une force et une énergie qui surprenaient mon professeur.

Vint un moment où — sans doute parce que papa ayant beaucoup joué, avait beaucoup perdu — maman envisagea de supprimer nos cours de chant. Ce devait être au printemps, nous étions au pied d'un grand escalier au conservatoire et il faisait frais. Je voyais dehors la lumière de la cour et, au-delà de la grille, le mouvement des rues, et la chaleur qui vibrait au-dessus du goudron. J'écoutais les adultes avec le sentiment qu'il s'agissait de quelqu'un d'autre que moi. On ne pouvait pas me priver de chanter, c'était impossible.

— Il faudrait attendre peut-être l'année prochaine, disait ma mère. Nous avons des problèmes pour les mois qui viennent.

Elle parlait lentement. En fait, elle souffrait d'avouer sa gêne financière. A son humiliation s'ajoutait le chagrin de priver ses filles. Mais moi, je n'en avais cure. Elle devait trouver une solution sinon moi j'en trouverais une. J'étais prête à faire n'importe quoi, mais surtout qu'on ne me prive pas de chanter.

— Ecoutez madame Mouskouri, répondait le professeur, je crois qu'on peut s'arranger. Jenny n'a pas très envie de chanter. Ça se sent. Tandis que la petite là, ce serait un crime de renoncer. Elle veut tellement chanter...

— Mais, s'inquiétait maman, Jenny a une plus belle voix que Nana...

— Ce n'est pas le problème. Elle a une plus belle voix, c'est vrai, mais elle n'a pas envie de s'en servir, sûrement pas autant que sa petite sœur. Et celle-là, à force de travail, à force de vouloir, elle fera quelque chose... c'est certain.

— Alors vous proposez que Jenny arrête ?

— Ça vous fera une économie...

Je me rendis compte soudain que, pendant tout ce temps, j'avais cessé de respirer, j'étais saisie, tétanisée. J'aspirai une grande goulée d'air frais.

— Je ne sais pas... murmura ma mère, honteuse.

— Ce n'est pas tous les jours qu'on a la chance d'avoir une élève aussi passionnée. Je garde la petite. Vous me paierez plus tard, dans quelques mois. Elle m'intéresse.

Mon cœur reprit un rythme normal. Dans la rue, en revenant à la maison, Jenny avait l'air maussade et maman pleurait. Moi je chantais à tue-tête.

Dans sa mémoire, lorsqu'il nous arrive d'évoquer cet épisode, Jenny conserve le sentiment — un peu amer — de s'être sacrifiée pour moi. Dans mon esprit, les choses sont différentes, évidemment. Puisque je ne me souviens que de ce désir si puissant de chanter... et peut-être chez ma grande sœur d'un désir infiniment moins motivant.

En grandissant, ma passion pour la musique n'a fait que croître. A douze ans, je suis entrée au lycée. Je travaillais moyennement...

Jenny était infiniment meilleure élève que moi. Elle était même brillante dans certains domaines. Elle m'apparaissait comme la grande star que tout le monde aimait beaucoup, parce qu'elle était vive, alerte, parfaite en somme. A la maison elle faisait aussi bien le ménage que de la couture... Il y a une expression en grec qui recouvre toutes les charges de la femme au foyer : qu'il s'agisse du travail ménager ou de l'art du bouquet, cela exprime plus que les charges, tout ce qui traduit la féminité au foyer : les « nikokira »... Jenny s'acquittait des « nikokira » admirablement et tout le monde était fier, surtout ma mère... Et moi je la suivais deux classes derrière, petite tortue arrivée très tard à se frayer un espace à elle. J'avais dû arrêter finalement mes cours au conservatoire et je travaillais le chant, seule ou à l'école, en rongeant mon frein. Mais la certitude d'être chanteuse un jour me donnait des forces.

Un jour, Jenny est tombée amoureuse d'un homme plus âgé qu'elle. Elle avait dix-huit ans et rêvait de se marier. C'est donc ce qui a été décidé et le mariage a eu lieu. Du coup on a pu dépenser un peu d'argent pour que la petite — moi — prenne des leçons de chant.

L'hiver, mon père travaillait comme projectionniste dans une maison de production, et là des amis, techniciens à la radio, lui ont conseillé d'aller voir un ingénieur du son qui enseignait le chant classique au

Conservatoire. Papa est allé voir ce professeur, ils se sont mis d'accord et j'ai commencé à étudier sérieusement. Mon père aurait donné n'importe quoi pour que je puisse pratiquer le classique.

Une fois entrée au Conservatoire, je me suis trouvée dans une classe d'harmonie avec des élèves obsédés par une seule chose : être dans le chœur de l'Opéra. C'était leur ambition. Moi, quand on me posait la question, je disais que oui, mais enfin je ne savais pas exactement : « L'opéra... j'adore, j'aime beaucoup, mais il existe d'autres styles, d'autres expressions musicales qui me plaisent autant. La musique en général est importante pour moi. » Et j'avais envie d'écouter autre chose que l'opéra. J'ai commencé à écouter la radio. La radio fut d'abord ma passion. Pour mes quatorze ans, papa m'avait bricolé une petite radio, à partir d'un vieux poste remis à neuf et dont il avait développé la puissance. Je parvenais ainsi, chose exceptionnelle, à recevoir Radio Tanger. Le présentateur s'appelait Willis Cannover, je n'oublierai jamais son nom. Je ne pouvais l'entendre que la nuit. Je me réveillais pour écouter certaines émissions qui diffusaient des disques des chanteurs que j'aimais : Bessie Smith, Billie Holiday, Sarah Vaughn et Ella Fitzgerald, Sinatra, Nat King Cole... C'étaient eux mes classiques.

Et, comme le renard du *Petit Prince,* je me disais : si hier, à cette heure-ci, ils ont joué ça, ils vont rejouer le lendemain la même chose. Et, comme si j'avais rendez-vous avec la musique, je revenais sur la même longueur d'onde, à la même heure. Je cherchais, j'attendais, je bidouillais mon poste. Cette attente, cette quête, me plongeaient dans un énervement insupportable. Et, parfois, bonheur ! je réussissais. Je retrouvais la chanson aimée. J'ai passé des années de ma jeunesse à me rendre à ces rendez-vous fragiles et aléatoires que me fixait la musique sans que rien, jamais, ne me décourage.

J'écoutais des chansons dont j'écrivais les paroles phonétiquement parce que je ne comprenais évidemment rien. Pas plus les textes américains que français. C'est ainsi, en écoutant une radio bricolée et grésillante, assise dans le noir, nuit après nuit, que j'ai composé ma culture musicale, de musique populaire. Cette période, entre les années cinquante et soixante, représente dix ans d'éveil, dix ans dans la vie d'une jeune fille traumatisée par la guerre, les catastrophes, les drames, et qui s'éveillait, petit à petit, à la vie et à la musique. Une période extraordinairement pleine.

J'aurais pu retrouver toutes ces musiques sur les disques. Mais j'étais pauvre, je n'avais pas de tourne-disque. Au Conservatoire, j'ai fini par faire la connaissance d'amis qui avaient un tourne-disque. On se retrouvait chez eux, tout naturellement. Ainsi, j'ai commencé à prendre mes distances par rapport à la maison, par rapport à ma mère, avec quelques difficultés. L'air dégagé, je disais à ma mère :

— Je dois y aller...

— Mais tu dois aller où ?

— Ecouter des disques.

— Mais qu'est-ce que ça veut dire écouter des disques ?

— Ecouter de la musique !

— Chez qui ? avec qui ?

— Ecoute, maman ! avec des amis...

Je ne savais pas quoi lui dire. Alors maman soupirait. Elle me soupçonnait d'être une fille perdue alors que nous ne faisions qu'écouter de la musique en rêvant de la jouer. Maman voyait bien que rien ne m'arrêtait. Ces escarmouches quotidiennes se prolongèrent jusqu'au jour où, à mon tour, j'ai eu un tourne-disque. Mais c'était trop tard. J'avais déjà commencé à prendre mes distances.

Ces garçons, mes copains qui adoraient la musique moderne, répétaient dans un studio, pendant les heures creuses, tout ce qu'ils entendaient sur disque. Je n'ai pas attendu longtemps pour les rejoindre.

Rien ne m'était familier sinon les airs joués, et je me sentais intimidée par le décor. Mais, très vite, l'habitude a été prise de chanter avec eux, et c'est comme ça que tout a commencé.

V

Injustice

On débute par des riens. On essaie des airs, des rythmes, on fait pom-pom-pidoo, on se sent un peu bête. A ce train-là, les heures au studio Era défilaient à toute vitesse. J'essayais ma voix. Je sentais que cette période serait féconde. Pendant plusieurs sessions, il ne se passait rien puis, tout d'un coup, les choses se déclenchaient... Ah! que la vie était excitante! J'ai continué, même quand j'ai commencé à travailler au Club, même quand je ne dormais que trois ou quatre heures par nuit, à aller, à courir, au studio, pour y retrouver les amis et improviser.

Il faut dire que l'endroit est inoubliable. Le studio Era était une sorte de lieu-phare : on y rencontrait toutes sortes de gens, mais il y avait une bande avec laquelle je travaillais régulièrement. Je me souviens d'un batteur qui avait très mauvais caractère. Souvent il était là, tout seul, à la batterie. Il donnait le tempo. Moi, j'arrivais et je chantais sans musique, comme ça, pour pratiquer.

Je chantais du jazz, du vrai jazz, enfin ce que je croyais être du vrai jazz, du folklore ou du classique.

49

A l'âge que j'avais, je n'étais pas passionnée par la musique populaire. Même Sofia Vembo, cette chanteuse merveilleuse, me paraissait un peu vieux jeu. Mes préférences allaient au jazz. Mais je ne négligeais pas complètement le folklore ni le classique. Je m'étais mis en tête que je pouvais tout, absolument tout chanter.

Un jour, mon professeur a découvert que je ne chantais pas uniquement du classique. Avec ce groupe d'amis, en dehors du Conservatoire, du studio Era à la radio, nous n'arrêtions pas : radio-crochets, concours, auditions, tout était bon pour jouer, éventuellement se faire connaître et, enfin, gagner un peu d'argent avec la musique, notre passion. C'était par là que passaient mes ambitions. Mon professeur a appris, je ne sais comment, mes coupables activités. Un matin, il m'accueille furieux :

— Si tu gâches ce que j'essaye de t'apprendre, il n'y a rien à faire...

Il n'était pas content du tout. Je crois qu'il était déçu car il avait toujours pensé que j'avais vraiment une vocation, et il me parlait souvent de deux filles de sa classe, une qui ne travaillait pas suffisamment et l'autre qui gâchait sa vie — selon lui — parce qu'elle s'intéressait trop aux garçons.

— Toi au moins, disait-il, tu es bien, tu te consacres à la musique...

Pourtant il ne semblait pas mesurer mes progrès : des petits morceaux enfantins que j'interprétais au lycée, j'étais arrivée aux lieder de Schubert et, même, à des arias de certains opéras pour les examens annuels du Conservatoire. J'étais près de passer mon diplôme. Mais il a adopté une attitude très dure :

— Rien à faire avec toi ! Tu t'es lancée dans ces aventures sans m'en parler, sans me demander l'autorisation. Est-ce que j'ai travaillé toutes ces années pour te préparer à des radio-crochets et gâcher ta voix ?

— Mais, vous allez quand même me présenter à l'examen de sortie ?

— J'avais des doutes et maintenant je sais pourquoi j'ai eu des doutes. Ce n'est pas le talent qui te manque, mais tu abîmes tout ce que je fais. Je ne te présente pas.

J'étais furieuse, vexée, et triste. Et, aussi timide et renfermée que je sois, j'avais aussi une certaine énergie. J'ai eu la force de dire :

— Ah non, maintenant, ça n'est pas possible, il faut que je finisse. Mes parents ne pensent qu'à ça. Je paye mes leçons toute seule. Il faut que je gagne ma vie, c'est pourquoi je fais ces petits concours en espérant pouvoir chanter peut-être quelque chose d'autre.

Il m'a lancé un ultimatum :

— C'est ça ou rien ! Tu renonces tout de suite à ces exhibitions ou tu ne te présentes pas au concours.

— Non, ai-je répondu.

J'avais choisi mon camp : la liberté de chanter toutes les musiques. Je m'en sentais l'énergie et la force. A ceci près que, en quittant la salle de solfège où avait eu lieu notre altercation, je n'avais plus de professeur, je n'appartenais plus à une classe et, par conséquent, je ne pouvais plus me présenter au concours. Des larmes de déception me montaient aux yeux tandis que je longeais le grand couloir. De toutes les salles, me parvenaient des airs de piano, de flûte, des vocalises, tout un univers auquel je n'avais plus droit. J'étais chassée du paradis. Et, là encore, ma pauvreté m'avait piégée : si j'avais eu de l'argent, j'aurais pu m'amuser à chanter du jazz sans tenter de radio-crochets pour payer mes cours.

A peine dehors, j'ai décidé de me battre. Après tout, je n'avais rien fait de répréhensible. Ma voix restait bonne, mes capacités vocales ne changeaient pas parce que mon professeur avait décidé de me renvoyer.

Je suis allée voir un autre professeur du Conservatoire :

— Voilà, mon professeur m'a chassée parce que je chante autre chose que du classique. Vous croyez que vous pouvez me présenter au concours ?

C'était une femme très bien. J'ai toujours regretté de ne pas avoir travaillé avec elle. Elle a hésité. Puis elle m'a dit :

— Il y a une chose que tu dois comprendre : je ne peux pas présenter l'élève de quelqu'un d'autre. Il faudrait que tu travailles au moins deux ans avec moi, tu serais alors considérée comme mon élève... Sinon, c'est impossible. Ton professeur m'a souvent parlé de ton talent. Du reste, je te connais, je t'ai entendue aux examens et je t'apprécie beaucoup — elle a réfléchi, puis elle a lancé — : Bon. Si tu veux, on essaye comme ça.

En fait, je n'étais pas très contente de recommencer un semestre de cours à la veille du concours, juste parce que mon professeur ne supportait pas que je chante ailleurs que dans l'enceinte du Conservatoire.

Malgré tout, j'ai décidé d'essayer mais sans courage. J'ai laissé passer un ou deux jours. C'est alors que des amis musiciens m'ont dit :

— Tu sais on a trouvé un travail dans un club, avec une chanteuse. Elle chante en anglais, très bien d'ailleurs. Mais, de temps en temps, elle veut prendre un repos, ça te dirait de venir chanter à sa place ?

— Mais qu'est-ce que je vais faire ?

— Tu vas chanter. Tu sais chanter, non ?

Alors j'ai dit : « Oui, pourquoi pas ? »

Le club s'appelait le Mokabolido, c'était un night-club tout simple, les gens venaient boire un verre et dansaient. Et c'est comme ça que, en 1957, j'ai commencé à chanter dans les clubs. Au Mokabolido, le pianiste qui était aussi le chef d'orchestre s'appelait Babis Mavromatis. Avec lui, ce fut une autre école de musique gaie, rythmée, heureuse. Il me faisait entrer dans un univers musical où l'on aimait danser et écouter aussi bien.

Evidemment, au bout de quelque temps je n'avais plus envie d'aller au Conservatoire : je n'avais pas fini de passer mes examens mais je ne me voyais pas recommencer avec un autre professeur.

En découvrant cela, ma mère et mon père ont été furieux et perplexes en même temps : ils étaient contents parce que je travaillais et gagnais un peu d'argent, pas grand-chose mais enfin, pour eux, c'était déjà ça ; d'un autre côté, je n'avais pas fini mes études, ce qu'ils trouvaient désastreux.

Tant que j'allais me présenter à des crochets et chanter du jazz, ils ne s'y opposaient pas, peut-être parce qu'ils ne savaient pas qu'en penser, et que je continuais mes cours au Conservatoire. Pour eux, le jazz était la récréation d'une future cantatrice. Mais, le jour où le professeur a décrété que c'était mauvais pour la voix et qu'il fallait choisir, ils ont suivi son avis : le classique d'abord. En fait, ils me voyaient chanteuse d'opéra. L'opéra ! C'était tellement prestigieux... Tandis que le night-club ! Il n'y avait que des filles légères pour chanter dans les night-clubs.

Mon père était tellement déçu qu'il ne m'adressait plus la parole. Un matin, comme je rentrais à l'aube, je lui apportai le journal. Il le prit sans un mot puis, soudain, comme s'il n'y tenait plus :

— Est-ce que les voisins t'ont vue ?

Du coup j'ai compris que la honte s'ajoutait à sa déception. J'ai d'abord eu envie d'éclater de rire : moi, une fille légère ! J'étais une grosse boule à lunettes qui chantait, habillée sans aucun goût. Je n'avais pas de boy-friend et, d'ailleurs, l'idée ne m'avait pas effleurée.

J'avais vingt ans et j'étais complètement immature, à la fois moralement et physiquement. De plus, avec mes kilos en trop, et mes lunettes, je n'incarnais pas la séduction... mais je me moquais de mon aspect extérieur. Je me disais : « Ella Fitzgerald, elle est grosse comme ça, elle met des choses épouvantables et on l'écoute. Quant à Maria Callas, elle est grosse et ça ne compte pas. » En fait, je n'avais même pas remarqué les tenues d'Ella Fitzgerald, mais on me les faisait observer.

Quant à la vie nocturne, cette facette du luxe que je découvrais, elle ne m'intéressait pas, absolument pas. Les bijoux, le champagne, les hommes qui voulaient flirter, ça ne me faisait aucun effet. Je ne pensais qu'à mes notes de musique.

Peut-être ai-je rêvé, de temps en temps, d'acteurs de cinéma, de Robert Taylor ou bien d'Errol Flynn, ou bien de Stewart Granger. J'aimais les histoires et les héros romantiques que je voyais au cinéma... Je pensais à l'amour, le grand amour, l'amour éternel. Je m'imaginais un jour vivant une fantastique histoire d'amour, mais je n'étais pas impatiente. Le bonheur, pour moi, c'était autre chose : la musique. Elle seule comptait. J'étais dans un club pour chanter, c'était l'essentiel. Les gens qui venaient pouvaient être gentils ou pas gentils, me dire bonsoir ou pas, il s'agissait de détails vite oubliés...

Je chantais pour le plaisir. Avec les musiciens, je m'amusais de toutes mes forces. Je me rappelle avoir travaillé avec un trompettiste. Il avait une façon de faire des arrangements pour sa trompette dans des tonalités qui étaient loin de l'idéal pour une chanteuse : trop haut, trop aigu ou bien trop bas. Je chantais dans ces tonalités impossibles, tellement j'avais envie, tellement j'étais assoiffée de chanter. Je chantais, ça m'amusait, c'était une compétition.

Un jour, j'ai attrapé un rhume, je ne faisais pas très attention à moi. Au bout de quelque temps dans ce club, je me suis aperçue que je perdais ma voix, petit à petit, à cause de la fatigue, du froid. Et je ne le sentais pas. Quand on chante dans des tonalités impossibles, la voix se fatigue. J'ai eu des laryngites que je ne voulais pas admettre. J'avais un peu de fièvre, mais... ça passait. Et, quand on chante avec la voix fatiguée, ça s'accumule et, un jour, je n'ai plus eu de voix. Plus du tout.

Panique, j'ai cru la fin de ma vie arrivée. J'avais pensé au début qu'il s'agissait d'un malaise passager comme cela m'était déjà arrivé. Rien à faire. Je ne retrouvais pas ma voix. Au bout de quarante-huit heures, je suis allée voir un médecin. Il m'a imposé un régime extraordinaire : il ne fallait pas que je parle, ni que je chante, pendant six mois. J'ai tenu trois mois. Trois mois de silence. Trois mois de chômage. Trois mois d'enfer.

C'était une époque où je ne pensais à rien d'autre qu'à la chanson. J'avançais à l'instinct, presque à l'aveuglette. Mais je sentais la puissance de ce qui me poussait : ce désir de chanter. J'étais capable de tout sacrifier à la musique qui me comblait. J'avais une certitude profonde : plus je donnerais à la musique, plus elle me rendrait. Et, paradoxalement, ces trois mois de silence m'ont rapprochée de ma famille, en particulier de mon père. En voyant que je m'imposais ce régime draconien, en constatant que je ne communiquais que par petits mots griffonnés sur un bloc, il a été impressionné. Si sa fille tenait tellement à sa voix, elle avait l'étoffe d'une chanteuse. Certes, demeurait mon inexplicable décision d'aller pousser la chansonnette dans des boîtes louches au lieu de choisir la voie royale du bel canto qui m'était ouverte, mais, après tout, j'avais une vocation, donc je n'étais pas une noceuse qui ne pensait qu'à s'amuser... Il tenta de me prendre plus au sérieux.

Aussitôt que j'ai pu chanter de nouveau, je suis revenue à ma vie rythmée par le jazz, la vie nocturne, les clubs et les soirées « d'impro » avec les amis.

Pourtant, il m'est arrivé une aventure qui m'a appris à ne pas tout oublier pour le seul plaisir de chanter. Ce fut un rude choc. Je ne l'ai jamais oublié. Ce que j'ai baptisé, depuis, « le syndrome d'Astir », m'a transformée profondément. C'est à partir de ce moment-là que je me suis dit : « Plus jamais ça », que je me suis fabriquée telle que je suis.

Il y avait à Athènes, vers les années 57-58, un pianiste très connu dans les salons, un pianiste mondain qui s'appelait Spartacus. Il faisait des tournées un peu partout en Europe, et des croisières. Bref, on dirait aujourd'hui que c'était un jet-setter. Il était fameux aussi pour une chanson qui s'appelait « Tha se paro na figoume », que tous les amateurs de chanson grecque connaissaient. Il jouait dans les salons d'Onassis, à Monte-Carlo. Et puis, un jour, il est revenu en Grèce dans un club qui s'appelait Astir. C'était vraiment la boîte à la mode, un club pour la haute société. Il a monté un orchestre, avec un ou deux chanteurs. J'étais encore étudiante, mais j'avais, parmi les musiciens, une réputation de pouvoir tout chanter. Nous nous sommes rencontrés dans un studio. C'était un type un peu fat, mais un professionnel.

— Il paraît que vous chantez bien !

Il m'a fait interpréter quelques-unes de ses chansons, puis d'autres. Il m'a engagée. Nous avons répété un programme et il s'est installé dans ce fameux restaurant-club, l'Astir. J'étais engagée pour la saison d'hiver, d'octobre à mars-avril.

Je ne me souviens pas de la couturière, mais elle avait fourni un gros effort, sous la direction de ma mère, pour faire une robe qui aille avec un endroit aussi huppé. Noire, évidemment. Pas les épaules dégagées parce que j'avais de gros bras, mais assez décolletée, une robe droite avec, peut-être, des volants en bas. Le moins qu'on puisse dire est qu'elle n'était pas élégante, pas du tout. Elle était même « gratinée » je le sais aujourd'hui. Il y a des gens simples qui naissent avec la classe et le goût, d'autres pas, quel que soit leur milieu. Moi, on ne m'a jamais appris. J'ai mis longtemps à découvrir que telle couleur ne va pas avec telle autre. Il faut dire qu'à l'époque, ça ne m'intéressait pas, et ma mère avait d'autres chats à fouetter. Donc, avec ma robe noire, mes cheveux tirés en queue de cheval, mes grandes oreilles que je tiens de mon père, mes lunettes, j'étais comme j'étais. Mais, j'avais de la chance : lorsque je me mettais à chanter, comme par miracle, les gens s'arrêtaient de manger, de boire... Ça marchait très bien. Je m'amusais comme une folle, les gens applaudissaient, ils étaient tous contents, les musiciens, évidemment, étaient heureux eux aussi parce qu'ils avaient une très bonne chanteuse. Or, au bout d'une semaine, Spartacus m'appelle et me dit :

— Tu sais, je regrette beaucoup, je suis obligé de te dire que tu ne peux pas continuer.

— Mais pourquoi, qu'est-ce que j'ai fait ?

— Rien, mais...

Il n'osait pas vraiment parler : il voyait combien j'étais timide. Je ne pouvais pas me défendre.

Alors j'insiste :

— Mais qu'est-ce qui se passe ?

— On a beaucoup de frais, et je dois choisir et voilà, c'est toi qui dois nous quitter.

— Mais je ne comprends pas, vous et les musiciens, vous aviez l'air tellement contents. Je n'ai aucun problème, je chante tout ce que vous voulez dans toutes les tonalités, et je chante aussi longtemps que vous voulez, les clients aussi ont l'air satisfaits.

— Oui, oui, tu es une très bonne chanteuse, mais c'est comme ça.

— Et le chanteur?

— On va garder le chanteur.

Alors là, j'étais désespérée mais, surtout, furieuse.

— Mais c'est pas vrai. Il ne chante pas mieux que moi. Il possède un répertoire beaucoup plus limité que moi. Je ne comprends pas, c'est injuste, c'est pas possible, c'est injuste.

Alors il a avoué :

— Non, tu es une merveilleuse chanteuse, mais la femme du directeur trouve que tu es trop moche, que tu t'habilles mal et que tu n'as aucun charme... Pour elle, ce que tu chantes n'est pas important.

Quand je suis rentrée à la maison, je ressemblais sûrement, comme on dit en Grèce, à une poule mouillée, avec les ailes complètement défaites.

Je ne pensais pas que cela puisse exister. Parce que je n'étais pas belle, parce que je n'étais pas bien habillée, parce que j'étais pauvre et humble au fond... j'étais rejetée. Et pourtant j'étais une bonne chanteuse. Je me rends compte maintenant que je suis passée parfois par des humiliations comme celle-ci, mais il y a toujours eu un moment où j'ai dit : « Ecoutez, arrêtez... c'est ici la limite et pas plus loin. »

Alors j'ai réagi. Je me suis tournée vers mon père ; c'était l'homme de la famille, il devait me défendre.

— Qu'est-ce que tu en dis, papa, tu ne vas pas laisser faire ça ?

Ma mère, elle, voulait être mon imprésario et me défendre, mais j'ai dit :

— Toi, tu ne peux pas, c'est papa qui doit le faire.

Astir appartenait à une compagnie d'assurances qui avait également des hôtels. Nous avons cherché qui était le directeur, et puis on a pris rendez-vous. Le directeur était un homme très élégant, dans un vaste bureau. Déjà on sentait, rien qu'au décor, qu'il allait prendre tout ça de haut. Et ça n'a pas raté :

— De toute façon, je n'ai rien à vous dire, le chef d'orchestre a décidé de vous engager, puis il a décidé de vous licencier. Vous n'avez aucune garantie auprès de moi, je ne vous ai pas fait de contrat, et je ne peux rien faire pour vous, c'est comme ça, que vous le vouliez ou non. Je ne peux rien faire pour vous.

Mon père ne disait pas un mot. Voyant cela, j'ai essayé de protester :

— Ecoutez, vous n'avez pas le droit de laisser agir Spartacus comme ça. Il est votre employé...

J'étais embarrassée, mon ignorance de mes droits m'empêchait de me défendre correctement. Et mon père regardait ses chaussures. Le directeur avait déjà commencé à ouvrir un dossier, il a levé les yeux et a dit sèchement :

— Vous perdez votre temps, mademoiselle, et vous me faites perdre le mien.

Et il a appelé sa secrétaire. Il s'était replongé dans ses papiers avant même que nous ne soyons debout.

Moi, « j'en avais pris plein la figure », comme on dit ! J'étais dans une tristesse folle, c'était tellement injuste. Je me disais : « Plus jamais ça, plus jamais ça. »

Et je peux le dire, j'ai lutté toute ma vie pour ne plus jamais avoir à affronter ces injustices. A ce moment-là, j'en ai voulu à mon père de ne pas m'avoir défendue. J'en voulais à tout le monde, surtout à moi-même parce que je m'étais laissé gruger.

Ce renvoi a mis en relief, pour la première fois, tous mes problèmes de femme, tous les doutes sur moi-même et sur mon apparence physique que j'avais réussi à étouffer jusque-là. Mes lunettes en étaient le symbole : à partir de ce jour, quand on me demandait de retirer mes lunettes, je refusais. J'étais complètement cachée derrière elles. Et je souffrais d'un complexe épouvantable.

Auparavant je me disais : « D'accord c'est agréable de voir sur scène une jolie femme, mais ce qui est important c'est ce qu'on fait et comment on le fait... » L'épisode d'Astir a tout remis en question. Je devais me placer dans la perspective d'un métier où l'image compte. Je le découvrais sans le formuler aussi nettement et cela me terrifiait.

Plus tard, j'ai parlé avec ma mère :

— Voilà, je crois que partie comme je suis, je n'arriverai nulle part.

— Si tu allais dans une clinique, dans un salon où on t'apprendrait à maigrir, à t'habiller un peu mieux ? Il faut trouver quelqu'un pour te conseiller.

C'est dans ces moments-là que je constatais à quel point ma mère désirait que je réussisse. Elle avait tiré un trait sur ma carrière classique, plus vite et plus facilement que mon père. Ou du moins, comme d'habitude, elle ne manifestait pas ses sentiments à ce sujet. Elle s'est donc mise en quête, et elle a trouvé différents mentors pour moi.

On a commencé par un régime : une petite tranche de poulet le matin et une le soir et rien d'autre. Evidemment j'ai maigri, c'était logique. On me massait. On me conseillait pour le choix de mes robes, et de mes coiffures. Mais chez moi, la démarche était superficielle, et sans aucun intérêt. Je ne m'y prêtais pas volontiers et ça n'a pas très bien marché. L'histoire classique en somme. Entre le personnage, le clown que j'étais devenu à mes propres yeux, et moi-même, il y avait toute une charge émotionnelle, et psychologique. Je savais que la question physique n'était pas essentielle, tant que je n'aurais pas accepté de me trouver. Avant de perdre 30 kilos, il fallait savoir pourquoi je les avais pris, et pourquoi je les conservais. Les 30 kilos, ce n'était pas le problème. Le problème, ce n'est pas le poids, c'est ce qu'on a en soi, à l'intérieur, et qu'on ne peut pas enlever.

Je pense que, comme tant d'autres femmes qui ont connu ce problème, ce drame, je ne m'acceptais pas, je ne m'aimais pas. Je ne me supportais qu'en mettant de petits ronds autour de moi pour me protéger. Donc la guerre entreprise contre le poids a échoué.

En revanche, comme chanteuse, mon succès se développait. Les gens ont commencé à venir pour moi dans les clubs. Sans écouter aucun conseil, je continuais à m'habiller en noir, couleur soi-disant amincissante. J'essayais de me montrer avec des lunettes un peu moins foncées. J'avais commencé à prendre la défense de moi-même, de mon propre corps, de Nana, la vraie, celle que moi seule connaissais et qui devait désormais s'affirmer pour exister. Et j'ai admis, après un long moment, qu'il serait peut-être plus intéressant d'avoir 20 kilos de moins.

VI

Côté cour

Longtemps, l'affaire d'Astir resta présente à mon esprit comme une humiliation profonde. « Plus jamais », telle serait ma devise. Chaque fois que j'entendais prononcer ce nom, chaque fois que dans ma mémoire surgissait cette conversation entre le directeur et moi, une décharge d'adrénaline roulait dans mes veines. C'est vrai, il y a des souvenirs qu'un mot, un air, réveillent et vous les revivez soudain brutalement l'espace de quelques secondes. Il en allait ainsi de cet épisode d'Astir...

Mais j'en tirai aussi une leçon positive : j'avais été engagée pour ma voix et pour mon talent, rien de ce côté-là n'avait été mis en question. Je pouvais tenir une scène, je pouvais attirer le public. Je l'avais prouvé. Cette certitude magnifique me montrait la voie : chanter, chanter encore, ne plus douter de mon avenir. Certes, il n'était pas évident. La route devant moi serait difficile, laborieuse, douloureuse peut-être même mais en aucun cas incertaine. Non seulement je serais chanteuse mais pas n'importe laquelle : une très bonne sinon la meilleure. Une interprète qui

65

chanterait avec son cœur autant qu'avec sa voix.

Cela peut paraître prétentieux mais ma voix, mes capacités musicales demeuraient ma seule richesse. On me l'avait dit : j'étais grosse, mal fagotée, vilaine en somme. Et pour autant, le public lorsqu'il m'entendait, oubliait tout cela pour écouter. J'étais pétrie de contradictions : tout à la fois dépourvue de confiance en moi et en même temps poussée par cette force qui me faisait chanter. Cette dynamique était plus forte que mes réticences les plus intimes, mes frayeurs, mes complexes. Elle me donnait le tonus suffisant pour tout affronter.

A cette époque, mon père m'avait déçue atrocement en se montrant incapable de me défendre. Ma mère en revanche se montra mon plus solide soutien. A sa manière rude et peu loquace évidemment. Elle s'institua tacitement le plus sévère des managers :

— Travaille, disait-elle, ne perds pas une minute. Dieu t'a donné cette voix, fais-en quelque chose.

Je chantais donc. Je chantais dans des cabarets de plus en plus connus, de plus en plus grands. Et en 1957, le 4 juillet, je chantai pour la première fois en terre étrangère si l'on peut dire : j'avais été invitée sur le porte-avion américain Forestal en escale à Athènes à chanter pour l'équipage. La Sixième Flotte était ancrée dans le Pirée et une star — une très jolie fille ayant l'avantage de chanter en anglais — avait déclaré forfait. Quoique engagée à la dernière minute, j'ai eu un grand succès. Dès que je lançai les premières phrases de *Pete Kelly blues* d'Ella Fitzgerald : *There's a bad thing, there's a sad thing* avec mon accent grec qui devait paraître follement exotique aux G.I's, il y eut des cris de joie. Ce fut une formidable soirée, chaude en plein été. Une vedette était venue me prendre au port avec les musiciens et nous avait débarqués à la coupée. La scène avait été aménagée sur le pont qui me parut immense, tout comme la foule de l'équipage... Trois mille marins en blanc massés autour du podium, et le vent qui soufflait doucement et, derrière nous, Athènes dont je devinais la géographie grâce aux lumières. J'avais le trac et, en même temps, une formidable excitation : si je plaisais aux marins américains, pourquoi ma voix et mes chansons ne plairaient-elles pas à tous les Américains ? Et elle plaisait aux marins du *Forrestal,* sifflant, lançant leur calot blanc en l'air et demandant encore, encore d'autres airs... C'est vrai, j'avais des ambitions... mais elles ne dataient pas d'hier. Et je voulais, je voulais tellement passer ma vie à chanter. Existait-il une autre façon pour moi de continuer que de convaincre le plus grand nombre de gens que j'avais raison ? Et d'en convaincre toujours plus ? Quoi qu'il en soit, ce soir-là, de rappel en rappel, mon groupe et moi avons séduit l'équipage du *Forrestal.*

A Athènes, mon nom commençait à circuler. Lentement, je sortais de l'anonymat. Il faut se représenter ce que cela signifiait à l'époque. Il n'y avait pas de Top 50 ni de clips. Un chanteur mettait donc infiniment plus de temps à se faire connaître, et — Dieu merci ! — la vie d'une chanson était aussi beaucoup plus longue : un an, voire deux ans, puisque le seul média était la radio. Et le bouche à oreille :

— Tu as entendu hier telle chanson ? Et cette chanteuse, c'est quoi son nom déjà ?

— C'est Nana Mouskouri.

Peu à peu, je suis donc devenue, entre 1957 et 1959, Nana Mouskouri chanteuse et, en dépit de tout, plus personne dans ma famille n'eut le moindre doute sur le métier que j'avais choisi.

De la même manière que je refusais de transformer mon apparence pour me couler dans un moule aux critères de la mode, je n'allais pas déguiser mon patronyme. Nana vient de Joanna. Je l'ai raconté. Quant à Mouskouri, c'est une version francisée de mon nom de jeune fille : en grec c'est Mouschouri. Trop compliqué, imprononçable pour les étrangers à cause du *ch*. Donc lorsque j'ai fait mon premier disque à Paris, on a francisé Mouschouri en Mouskouri et avec le temps, je l'ai adopté comme mon vrai patronyme (quoiqu'en Grèce bien entendu je le prononce à la grecque). Mais il s'est écoulé quelques années avant cela.

En chantant comme je le faisais, un peu partout, en allant souvent à la radio, en participant à des concours, en m'entraînant en studio, j'ai fini par connaître un certain nombre de gens : des jeunes musiciens, des écrivains, des comédiens... Un jour, Manos Hadjidakis m'a fait demander si je voulais chanter une chanson dans un film dont il avait écrit la musique. Si je voulais bien ?

Manos était déjà un musicien célèbre dans le milieu athénien. Il débordait d'un charme irrésistible, il était « le compositeur » grec dont tout Athènes parlait.

Caractère exécrable et immense talent, Manos Hadjidakis a réinventé, ou plutôt a fait revivre la musique grecque. On le voyait beaucoup dans une bande qui comptait Xenakis, Melina Mercouri, Nikos Gatsos, Yannis Ritsos, des peintres, Yannis Tsarouchis, des metteurs en scène, des comédiens Paxinou, Minotis, Chorn et plus tard, Theodorakis. Je lui ai dit :

— Moi je n'ai aucune expérience, je chante du jazz, du rock and roll ou bien du folklore, mais ce que vous écrivez, je ne connais pas du tout.

Il a insisté gentiment :

— Vous venez et puis on va voir.

Et c'est comme ça, en 1958, que j'ai enregistré mon premier disque, qui comptait quatre chansons...

1958 est une année durant laquelle toutes sortes d'événements importants ont eu lieu. Peut-être devrais-je commencer par une découverte essentielle pour une chanteuse, du moins pour celle que j'allais devenir : l'importance d'une signature.

L'année précédente, j'avais enregistré une chanson.

Une version grecque de « Fascination », cette chanson américaine si connue. Encore une fois, tout s'était fait par hasard, ou presque : je chante, en anglais, « Fascination », un compositeur grec m'entend. Il me propose une version traduite et arrangée par lui. Et me voici devant le micro, au cours d'une émission, chantant « Fascination » dans ma langue maternelle cette fois. Et quelqu'un d'une compagnie de disques, surgi de nulle part, me propose de signer une feuille de papier sur laquelle figurent deux lignes... que je lis à peine :

— C'est une autorisation de droits, me dit-on.

— Ah, je réponds, un contrat ?

— Pas vraiment, enfin, oui, une sorte de contrat...

A la vérité, ce compositeur avait l'intention de faire un disque et par ces deux lignes, j'abandonnais tous mes droits à la maison de disques et à lui-même. Tout cela se passant avec le sourire, en vitesse, dans le studio, tout cela très flou. Tellement que me voilà blousée.

Car, un an plus tard, j'enregistrai quatre chansons écrites par Hadjidakis. Cette fois le contrat tenait en cinq lignes. Je lui accordai un peu plus de crédit mais je n'avais pas encore appris à me défendre. Le contrat me faisait entrer chez Fidelity, une compagnie de disques, et m'offrait la somme royale de 400 drachmes. Et quand le disque sortit, le représentant du premier compositeur, et surtout de sa compagnie de disques, refit surface :

— Ah ! mais attention, annonce-t-il, Nana fait partie de notre compagnie...

Stupeur ! Moi je n'avais rien compris. Bien entendu, le contrat n'avait pas de valeur réelle et tout fut réglé en un tour de main. Mais j'avais enregistré quelque chose : il faut se méfier des signatures. Ce qui évidemment ne m'a pas empêchée de commettre d'autres erreurs du même style et de fourvoyer ma signature. Mais de plus en plus rarement.

Sur la musique, en revanche, je ne me trompais pas : Hadjidakis était et reste à mes yeux le plus grand des compositeurs grecs. Sa rencontre, son estime furent probablement décisives humainement et professionnellement. Je n'oublierai jamais, alors que je m'échinais à vouloir apprendre à chanter dans toutes les langues, qu'il insistait :

— Tu as une langue : la tienne, le grec, ta langue mère. Chante tout d'abord et très bien en grec, le reste viendra tout seul.

Non. Bien entendu tout ne venait pas seul, mais doucement tournait ma chance, comme une boule sur une table de jeu qui, peu à peu, vient se placer sur les bons numéros...

Oui vraiment ma rencontre avec Hadjidakis a été un tournant dans ma vie : j'ai été sélectionnée pour le premier Festival grec de la chanson.

C'était le 21 septembre 1959, dans une salle de l'hôtel King George, une salle bondée avec une retransmission en direct à la radio. A l'époque il n'y avait pas encore la télévision. J'avoue que je ne me souviens guère des autres concurrents. Je ne voyais personne. J'avais le sentiment de vivre dans un rêve. Morte de trac, énorme, pachydermique, cachée derrière mes lunettes, j'ai chanté une chanson de Hadjidakis, intitulée *Kapou iparhi i agapi mou* et une, *Asteri Asteraki*, d'un autre compositeur, nommé Mimis Plessas. J'ai eu le premier prix pour « Kapou », le titre de Hadjidakis, et le deuxième prix pour l'autre chanson. Pour cette dernière, j'étais accompagnée par un trio de chanteurs dont l'un, Georges Petsilas, est devenu mon mari.

On dit couramment qu'une vedette éclate... Je crois que le mot est très bien choisi. C'est cette impression que j'ai ressentie la nuit même puis le lendemain : le grand éclatement. Le lendemain, tout le monde chantait cette chanson, et parlait de cette grosse fille, avec des lunettes...

Mais le soir même quelle émotion ! Ma famille était convaincue que c'était parti. Ma mère pleurait, et ma sœur et son mari Démosthène qu'accompagnaient mon adorable petite nièce et mon père qui me tapotait l'épaule en refrénant son bonheur. Oui, pour eux, j'allais devenir une vedette. Etrangement, je mesurais bien l'importance des enjeux mais pour moi, rien n'était gagné. Je ne me suis jamais fait confiance, je l'avoue. L'important c'était, c'est toujours de chanter mieux, de garder sa sincérité, son authenticité. Et puis ne pas perdre de vue la réalité sous prétexte qu'on devient populaire.

Désormais, j'avais un sentiment nouveau de responsabilité vis-à-vis des miens, du public, de Hadjidakis et Gatsos, tous ceux qui me faisaient confiance.

Aujourd'hui, on se lance en pensant qu'il faut réussir. Pour moi l'élément vital, c'était la chanson. Pas la réussite à tout prix. M'aurait-on garanti de pouvoir chanter toute ma vie dans les cabarets d'Athènes sans en sortir, et sans jamais m'arrêter, j'aurais peut-être dit oui... Et j'aurais été contente ! J'avais besoin de chanter. Quand on me disait :

— Vous voulez chanter ça ?

J'écoutais. Si ça me plaisait, j'acceptais sans hésiter, si ça ne me plaisait pas, je refusais :

— Non, je crois que je ne pourrai pas faire grand-chose avec.

Je ne me disais pas : « Tiens cette chanson va faire un succès donc je dois la chanter. » Je ne réagissais qu'avec mes tripes.

L'impact de mon prix au premier Festival de la chanson d'Athènes a été énorme : j'ai été engagée dans des cabarets, des endroits plutôt chics où la qualité de la musique était reconnue. Parmi ceux qui venaient m'écouter à l'époque, on reconnaissait le prince Constantin, l'héritier du trône, Niarchos, Onassis, Livanos les grands armateurs. Certains amenaient des amis, des vedettes américaines comme Gregory Peck ou Anthony Quinn qui tournait les « Canons de Navarone » dans l'île de Rhodes. Mais j'avais aussi un autre public plus simple : des ouvriers, des gens du peuple, parce que j'étais une chanteuse populaire. La musique, le divertissement, l'ambiance de fête comptent beaucoup pour les Grecs. Et je crois que mes chansons, ma voix correspondaient à un besoin. Il s'agissait plutôt de sensibilité que de classe sociale. Mais je demeurais surprise à l'idée qu'ils venaient m'écouter. Et je trouvais un indicible plaisir qui, jusqu'à aujourd'hui, ne s'est jamais démenti dès que je chantais.

Je n'en ai pas toujours été consciente. Disons que c'est une force qui me pousse à m'exprimer. Maintenant, je peux le dire, si étrange que cela puisse paraître, j'ai mis des années à comprendre que je suis chanteuse, alors que, confusément, je savais bien ne pouvoir être autre chose. Je suis chanteuse par besoin : comme la cigale sur son arbre ne chante pas parce qu'elle veut être une cigale, mais parce qu'elle est cigale. Et elle ne fait que ça. Les gens me demandent pourquoi je ne m'arrête pas. Comment voulez-vous ? Je ne saurais exister autrement. C'est ma respiration. Et en respirant ainsi, j'ai parfois de justes compensations !

Désormais, j'étais reconnue, et donc me trouvais face à de multiples propositions. Or, je reçois un jour une lettre d'engagement d'Astir. Ils me voulaient ! Eh bien, ils allaient m'avoir. J'acceptai à condition de tripler le prix du contrat. Le directeur ne discuta pas : il avait besoin d'une vraie vedette, d'une Voix avec un grand V. La Voix décida alors une petite vengeance... bien innocente après tout mais « le syndrome d'Astir » — se laisser piéger par les apparences — m'avait fait tellement de mal, j'avais été si profondément blessée que je décidai de ne pas laisser passer cette occasion.

Je fouillai tous mes placards pour retrouver la robe noire si laborieusement fabriquée pour mes débuts à Astir, je la récupérai en bon état évidemment : elle avait peu servi. Je constatai avec satisfaction que pour qu'elle m'aille, il fallait reprendre les coutures : j'avais un peu maigri. Je retrouvai également les mêmes lunettes, les mêmes chaussures.

Et, ce soir-là, Nana Mouskouri, réplique exacte de celle qui deux ans plus tôt avait été licenciée pour cause de « mocheté et inélégance », passa sur scène avec rappels et applaudissements. Je tins toute la soirée devant un public choisi, passionné et heureux. Et, à vrai dire, toute à mon bonheur de chanter dans d'excellentes conditions, j'oubliai complètement mon allure, donc ma vengeance.

Quelques minutes après ma sortie de scène, je passai dans ma loge, je trouvai un ou deux bouquets de fleurs et tandis que je me démaquillais, un garçon vint me dire que le directeur souhaitait me voir... Pendant quelques secondes, mon sang se glaça : se pouvait-il que tout recommence ? Mon insécurité profonde me jouait des tours : le directeur voulait m'inviter à dîner. Tandis que je m'avançais vers la table, les gens se tournaient vers moi, applaudissaient, certains se levaient pour me baiser la main. Arrivant à la table du directeur je vis sa femme. Charmante, tout sourires :

— Venez dîner avec nous, nous sommes si heureux de vous compter parmi nous, susurra-t-elle.

Que devais-je faire ? Accepter, tout oublier, et figurer à cette table choisie où j'allais m'ennuyer alors que dans la coulisse, mes copains musiciens m'attendaient ? Nous irions finir la soirée dans une taverne, nous chanterions probablement, discuterions musique et idées. Nous passerions la nuit à faire des projets et entasser des rêves, assis sur des chaises dans le décor carrelé d'une taverne éclairée de ces lampes blanches qui vont si mal au teint mais qui vous donnent envie de boire de l'ouzo bien frais... Alors que là, le décor confortable et doré distillait un éclat chaud qui donnait de l'éclat aux femmes, et faisait briller leurs bijoux. Allais-je passer une soirée à faire un bon dîner au champagne — moi qui voulais maigrir — en écoutant débiter des mondanités auxquelles je ne comprendrais rien ? Non, je n'allais pas gâcher une soirée pour une femme qui avait bien failli gâcher ma vie. C'est alors que je m'entendis parler :

— Je vous remercie, mais je ne peux accepter. Vous l'avez sans doute oublié, mais voici deux ans vous m'avez mise à la porte de votre club, où je chantais exactement comme ce soir. Vous m'avez mise à la porte parce que j'étais grosse, laide et mal fagotée. Et vous savez quoi ? Ce soir je porte la même robe, les mêmes lunettes et les mêmes chaussures... Franchement ce ne serait pas logique de m'accepter à votre table, je suis toujours aussi grosse, aussi moche, aussi mal fagotée.

Et je tournai les talons : effrayée de mon audace, rougissant d'en avoir tant dit mais contente, franchement contente. Le directeur se précipita sur mes talons :

— Nana, oublions cela, c'était une erreur, nous le reconnaissons volontiers, la preuve, ce soir, ma femme voulait manifester sa bonne volonté...

Je le regardai droit dans les yeux :

— Ecoutez, si vous voulez manifester votre bonne volonté, laissez-moi chanter. Et s'il y a des rappels, je veux bien prolonger la soirée sans heures supplémentaires. Laissez-moi chanter tant que je veux, c'est la meilleure manière de tout oublier.

Je quittai la boîte. Je n'oublierai jamais son visage médusé. Pour la première fois de ma vie j'avais dit exactement ce que je pensais. J'avais posé les limites de ma liberté et elles étaient respectées : ce soir-là mes copains et moi, nous fîmes la fête. Puis le lendemain, je retournai à Astir avec une autre robe, plus élégante. Moi aussi je voulais être belle.

C'est un soir à Astir que je rencontrai Roland Ribet, amené par mon imprésario grec. Ma voix, ma manière de chanter le séduisirent, mon allure beaucoup moins : je ressemblais à « une veuve corse, avec ma robe noire et mes cheveux serrés » me dit-il quelque temps après. Malgré cela, il fut impressionné.

Il allait devenir pour longtemps mon imprésario pour tous mes spectacles. Ce fut d'ailleurs Louis Hazan qui me conseilla de le prendre comme imprésario pour mes spectacles. Odile le trouvait charmant, plein d'humour, fin conteur... un homme de compagnie délicieux. Mais n'allons pas trop vite.

Le succès appelle le succès. Après Astir, nombreux furent les clubs qui me firent des propositions. L'un d'entre eux est demeuré cher à mon cœur. Son nom, Tzaki, signifiait la Cheminée. Ce petit restaurant au style villageois se trouvait dans une ruelle derrière le Palais royal et non loin de la Maison de la radio. C'était un bistrot toujours plein à craquer, et bien fréquenté. Avec moi, la fille en noir, ses lunettes et ses quatre-vingts kilos, passaient Alekos Spathis, compositeur et pianiste de vrai talent et sa femme Mary qui chantait. Parmi les clients on voyait souvent Constantin Caramanlis, le Premier ministre, un homme aussi brillant que distingué que toute la Grèce adorait. Amalia, sa femme, était très belle. Lui me demandait souvent de chanter *Kapou Iparhi Agapi Mou*, elle préférait la Violettera.

Un soir, avant de quitter Tzaki, Amalia Caramanlis m'invita à venir chanter lors d'une réception offerte en l'honneur des fiançailles de Juan Carlos, futur roi d'Espagne, et de la princesse Sophie. J'étais très intimidée à l'idée de me présenter devant toutes ces têtes couronnées, mais comment résister à pareille invitation ? Et je trouvais, une fois avalé le trac, l'épreuve moins difficile que je l'appréhendais.

Après ce premier test je fus à nouveau invitée à participer à des fêtes un peu officielles. Ainsi ai-je chanté à bord d'un bateau où était reçue Jacqueline Kennedy, première dame américaine, chaperonnée par son beau-frère, Ted Kennedy. Le second de la dynastie, Robert Kennedy, ministre de la Justice, était également présent mais seulement pour quelques heures, requis par un programme plus contraignant. Cette famille m'a totalement séduite et lorsque, quelques mois plus tard, j'ai appris par la télévision anglaise l'assassinat de John F. Kennedy, puis peu après celui de Bob, ce fut l'horreur pour moi.

Au-delà des engagements que j'ai pu avoir avec des clubs grecs, j'étais, depuis mon premier disque, liée par contrat avec la compagnie « Fidelity », en Grèce. Il s'agissait d'une maison d'édition de musique et une compagnie de disques assez éclectique et nouvelle. Aussitôt créée, Fidelity a accueilli Hadjidakis, parce qu'il était un ami, et qu'il était un musicien important : les années soixante, en Grèce, représentaient une période où, comme dans beaucoup de pays, il y eut une évolution dans la musique et dans la chanson.

Jusqu'à cette époque-là, on avait une musique grecque qui était plus ou moins continentale, comme on dit. Il y avait ou bien la musique populaire, folklorique, ou bien la musique continentale. On écoutait beaucoup de succès italiens ou français, mais il n'y avait plus de musique grecque très authentique. Et soudain, une vague de jeunes compositeurs est arrivée, Manos Hadjidakis puis Mikis Theodorakis amené par le précédent. Ces musiciens-là ne croyaient pas à des airs venus d'ailleurs. Ils aimaient la musique et les instruments de leur pays, à un moment où la bourgeoisie et la jeunesse qui se voulaient modernes les méprisaient. Ainsi, les bouzoukis étaient des instruments d'origine turque... Quelle horreur ! La majorité des gens branchés avait vis-à-vis des bouzoukis l'attitude que beaucoup de Français ont, ou avaient à l'égard de l'accordéon. Or Hadjidakis passait des nuits entières dans les tavernes du Pirée ou de Plaka. Il vouait une admiration sans limite aux grands de la musique rebetika — celle populaire et simple des joueurs de bouzouki — comme Tsitsanis, Marika Ninou, merveilleuse chanteuse.

Il faisait œuvre à la fois de reporter et d'archiviste. Les thèmes qui revenaient le plus souvent étaient ceux qui nous sont chers : l'amour, la mort et la liberté, celle que l'on conquiert fièrement. Les rythmes étaient fort anciens puisqu'ils étaient hérités des psalmodies byzantines, les taksimi, des improvisations sur la musique rebetika. On les tenait de la tradition orale de générations de paysans qui transmettaient ainsi leurs tristesses et leurs espoirs.

La tradition mêlait les origines géographiques : arabe, turque, balkanique : les influences étaient multiples car la Grèce est un pays au confluent de plusieurs civilisations. Et chaque génération de Grecs avait fait siennes ces taksimi : les Crétois, les Iliens, les gens du nord, tous avaient eux aussi apporté leurs rythmes ou leurs sonorités. Cette musique méconnue de l'intelligentsia, de la bourgeoisie ou des gens de mode se jouait dans les tavernes sur des bouzouki, des sandouri ou des baglamas.

Manos Hadjidakis fut le premier à reconnaître en elle notre patrimoine culturel. Il fit entre autres un disque intitulé « Six images populaires » . Manos sut avec un talent inimaginable adapter ce trésor secret à notre époque, le marier avec des sonorités modernes et lui donner ses lettres de noblesse aux yeux de ceux qui l'ignoraient et qui le découvrirent alors avec ravissement.

De cette réconciliation entre les airs du passé et la musique moderne, avec des textes écrits par des poètes comme Nikos Gatsos, Yannis Ritsos Elytis ou Kazantzakis, jaillit la musique grecque d'aujourd'hui. Et ce qui était fabuleux, c'est que ces chansons étaient reprises dans la rue, par les ouvriers du bâtiment sur leurs échelles, les peintres, les boulangers, que sais-je, tout le petit monde de la ville comme les gens les plus snobs. Peu importait, à partir du moment où régnait la magie des mots et de la musique.

Cette renaissance de la mélodie grecque fut un événement. Et j'ai eu la chance de faire partie de cette nouvelle vague qui a commencé dans les années soixante. Hadjidakis en était l'initiateur, moi j'étais sa voix. Avec lui, j'ai appris à chanter la musique populaire. Elle plaisait au peuple mais elle n'était pas vulgaire ou facile. Populaire, elle puisait ses racines dans l'âme grecque et tout un chacun s'y retrouvait. Pour ma part, en chantant les mélodies de Manos, je me sentais en accord profond avec moi-même.

A Astir, puis à Tzaki, je chantais beaucoup de jazz et de rock'n roll. Grâce à Manos Hadjidakis, mon répertoire s'est donc modifié en s'élargissant et ainsi a commencé ma vraie carrière.

J'allais chez Manos travailler ses chansons. Avec moi, il essayait la musique, celle des notes mais aussi celle des mots car il écrivait lui-même d'admirables textes lorsqu'il ne mettait pas en musique ceux de Nikos Gatsos. Il y avait chez lui une véritable gourmandise des sons :

— Ecoute ce mot, s'exclamait-il. Et celui-là ! Redis cette phrase, encore !...

Les textes étaient parfois très intellectuels et pourtant ils m'allaient droit au cœur. J'avoue avoir eu des difficultés au début. Surtout pour interpréter « Hartino to fengaraki ». Nikos Gatsos trouvait que ma façon de chanter n'était pas « normale ». Il est vrai que je différais des autres chanteuses qui travaillaient avec lui. Et puis un soir, lui qui répugnait à se rendre dans ce genre de club est venu m'écouter à Tzaki. Assis dans un coin, il a attendu mon tour de chant. Sitôt achevé, je me suis précipitée vers lui.

— J'ai beaucoup réfléchi, m'a-t-il dit. Tu as raison de chanter comme cela.

Ce fut le début d'une extraordinaire amitié mais surtout d'une fructueuse collaboration. Il a donné un sens à ma vie de chanteuse en m'offrant un répertoire grec inégalable, poétique, émouvant et surtout plein de vérité.

Il y avait à cette époque-là à Athènes un endroit bien particulier. Je ne l'ai jamais oublié : il a marqué pour moi toutes ces années. Il s'agit d'un lieu dépourvu de musique : le café Floca. Quiconque a connu Athènes dans cette décennie ne peut ignorer le Floca : point de rencontre des milieux de la poésie et de la musique.

— Rendez-vous chez Floca à deux heures, pour le café, m'avait lancé Manos.

C'est ainsi que je l'ai découvert. Bien entendu, je suis arrivée la première. Intimidée, je m'encoignai et sortis le bloc que je traîne toujours dans mon sac pour noter les idées qui me passent par la tête ou croquer les expressions qui me plaisent. La clientèle me paraissait plutôt « coincée », pas du tout le genre de Manos et encore moins de Gatsos mais il y avait l'air conditionné (exceptionnel à l'époque), de très bons gâteaux, et des espressos italiens.

A deux heures et demie, Nikos Gatsos est arrivé. Nikos, une montagne, un dieu que tout le monde adorait, ne se laissait pas facilement approcher. Ce sage, ce philosophe, cet homme de vérité était aussi un vrai maniaque. Chaque jour pour venir chez Floca, il prenait le même taxi, suivant le même itinéraire. Jamais il ne montait en voiture avec des amis sans s'être assuré qu'il pourrait décider de l'itinéraire. Chez Floca, il avait Sa table à laquelle il m'invita pour attendre Manos. Au fil des minutes, il me présenta à une foule de gens impressionnants qui venaient le saluer avec un respect nuancé d'amitié : des peintres comme Yannis Tsarouchis ou Moralis, des poètes comme Yannis Ritsos ou Odysseus Elitis, un cinéaste comme Michel Kakoyannis, des comédiens, etc.

Vers cinq heures et demie, un murmure parcourut la grande salle : Manos arrivait, entouré d'une petite cour. Sourires, saluts, congratulations. Je n'étais pas peu fière d'être à la table de ces deux grands hommes. Cette occasion s'est répétée fréquemment par la suite. J'adorais les regarder et les écouter parler des après-midi entiers. Vers sept ou huit heures, je les quittais avec regret pour aller me changer et chanter au Tzaki.

Ils partaient eux aussi en même temps que moi pour se retrouver à une ou deux heures du matin. Parfois je les rejoignais vers trois ou quatre heures après mon tour de chant. Nous buvions du café jusqu'au petit matin. Le jour se levait, nous marchions jusqu'à la place Omonia où nous prenions des croissants et un verre de lait au bistrot Megas Alexandros. J'imagine qu'à mille kilomètres de là, la vie qui rythmait Saint-Germain-des-Prés ne devait pas être bien différente pour ceux qui y vivaient. J'évoque ces souvenirs sans aucune nostalgie : ces moments furent déterminants. Je pense en effet que c'est avec Manos, Nikos et leurs amis dans ces clubs, dans ces cafés, que j'ai accumulé toute la richesse qui donne aujourd'hui à mes chansons leur qualité et leur part de rêve.

Il faut dire aussi qu'à partir de cette époque-là, la musique m'a portée : Barcelone, Athènes pour le second festival avec encore un autre prix, Berlin et enfin Paris... Tout s'est fait si vite que les souvenirs s'enchaînent, se téléscopent, les visages apparaissent, se croisent... Et dans cette espèce de confusion joyeuse, folle, faite de départs, de mouvements incessants, de travail, de nuits merveilleuses passées à discuter, à rêver, à écouter d'autres musiques venues d'ailleurs, peu à peu se bâtit ma nouvelle vie.

Nous étions en juillet 1960 et *Jamais le dimanche* de Jules Dassin venait de sortir à l'étranger et faisait un tabac. Tout le monde voulait danser et chanter en grec : les airs de Hadjidakis qui avait signé la musique faisaient le tour du monde. Il y eut une fête avec toute la bande, Hadjidakis, Patsifas, directeur de Fidelity, Gatsos, Melina Mercouri qui devenait avec *Jamais le dimanche* une vedette internationale, et moi qui fêtais mon premier prix. Ce fut une soirée mémorable où nous célébrions tout à la fois nos triomphes, nos ambitions. Et là, je croisai Louis Hazan et Odile, une superbe rousse. J'en avais entendu parler : il représentait quelqu'un d'important pour nous tous, et particulièrement pour moi. Il m'intimida et en même temps ce couple me séduisit. Je me souviens de la première question que me posa Louis Hazan :

— Est-ce que vous chantez dans d'autres langues ?

VII

L'amour

Professionnellement, j'étais comblée. Mais je l'ai déjà dit, mon « look » — voilà bien une expression que je n'employais pas à l'époque — lui, n'avait pas progressé d'un pouce : la grosse fille mal fagotée, à l'abri de ses lunettes, se tenait toujours derrière son micro. Et pourtant ma vie privée devait elle aussi évoluer : je me suis mariée, l'année qui a suivi le premier Festival d'Athènes. Mon mariage fut-il une réussite ? Non, autant l'avouer tout de suite. Mais je dois beaucoup à Georges Petsilas, mon mari. Il eut dans ma vie un rôle déterminant.

A la fin des années cinquante, vivant à la maison sous le regard de papa et maman, et chantant le soir dans des clubs j'avais parfois l'impression de mener une double vie, d'être deux personnages en un : Nana la fille de Monsieur et Madame Mouskouri, et Nana la chanteuse. Les deux ne cohabitaient pas facilement dans ma tête. A l'époque où je revenais le matin à la maison, mon père, marmonnait :

— Tu étais avec lui...

— Bon d'accord, après j'ai été avec lui, mais enfin je suis une adulte.

Il ne me jugeait pas adulte. Il n'aimait pas l'idée que je passe mes fins de soirée avec Georges. Il appartenait à une génération qui gardait les femmes à la maison, qui avait le sens de l'honneur et du qu'en-dira-t-on. Le bonheur c'était une autre histoire. Un mot qu'on ne prononçait pas, comme réussite, succès ou gloire. On parlait de travail et d'argent, d'abord. Papa, me voyant rentrer à six heures du matin pensait aux voisins et puis aussi à Georges.

Georges était un musicien appartenant à un groupe avec lequel je chantais souvent, avec lequel je devais remporter un prix au second Festival d'Athènes. Brun, plutôt bel homme, renfermé et secret, élégant d'allure, Georges était séduisant. Mais il ne cherchait pas à séduire. Professionnellement, beaucoup de choses nous rapprochaient. Papa voyait notre liaison avec inquiétude. En même temps, je crois qu'il était fier de moi. Il ne disait pas grand-chose mais je sentais qu'il me pardonnait beaucoup puisque lui-même avait tant de choses à se faire pardonner.

Ma mère, elle, était vraiment fâchée mais elle n'osait pas me gronder. Après tout je travaillais, je gagnais ma vie et celle de mes parents. Ma mère avait tant travaillé qu'elle avait fini par se montrer aussi dure pour les autres que pour elle-même. A ce moment de ma vie, j'aurais eu besoin d'avoir des conversations avec elle, de me sentir libre de lui dire des choses personnelles, elle aurait dû pouvoir répondre aux questions que je me posais sur la vie, sur l'amour, sur le bonheur. Mais ça n'a jamais été possible. Dès l'adolescence, je la voyais murée dans le silence. Alors l'amour? Qui me l'apprendrait?

Je me souviens de quelques flirts. Enfin de quelques garçons qui me faisaient la cour — c'est ainsi que l'on disait à l'époque — quand j'étais plus jeune. J'étais encore à l'école, j'allais parfois à des parties, « des boums », et il y avait un jeune homme qui venait me chercher et me raccompagnait à la maison. Au bout d'un moment il m'a proposé de sortir avec lui. Et je dois l'admettre, je trouvais toujours de bonnes raisons pour dire non : une fois j'avais mes leçons de chant, une autre fois un concert, une autre fois une répétition. Si j'en avais vraiment eu envie, j'aurais probablement trouvé du temps pour lui mais... la chanson passait avant. Résultat, le jeune homme s'est lassé et c'est une de mes bonnes amies qui l'a « récupéré ». Je crois bien qu'elle en rêvait depuis un certain temps. Bizarrement ça m'a choquée. Je me suis dit : « C'est elle, elle n'a même pas osé me le dire. » Alors qu'au fond, j'avais tout fait pour qu'il aille vers une autre.

En fait j'étais horriblement timide. Une fille mal dans sa peau, ignorante des choses de la vie... Comment dans ces conditions, imaginer l'amour autrement que comme un rêve, une abstraction ?

Lorsque j'étais au conservatoire, les classes d'art dramatique se trouvaient au même endroit et je croisais souvent un apprenti comédien. Il suivait les cours et en même temps il faisait de la figuration au théâtre. A force de nous rencontrer dans les couloirs, de fréquenter les mêmes cafés, la radio, et souvent les clubs de jazz, nous avons fait connaissance. Il me plaisait vraiment. Il s'en fallut de peu que je n'en tombe amoureuse. Je l'étais sans doute et je sentais bien que je lui plaisais. Mais était-il aussi timide que moi ? Ai-je pris mes désirs pour des réalités ? Ce beau brun aux yeux verts n'a jamais été plus loin que :

— Bonjour comment ça va ?...

Et dire que ç'aurait pu être une folle passion. J'avais besoin d'un peu d'encouragement pour être plus audacieuse. Et lui probablement aussi. Je l'ai revu, deux ou trois fois dans ma vie. Je n'ai jamais osé, évidemment, lui avouer qu'il m'avait fait rêver. Sa carrière est demeurée limitée à la Grèce. Depuis quelques années, je n'ai plus entendu parler de lui...

Ma mère, dès qu'elle me soupçonnait un soupirant, pensait mariage, bien entendu. Or, aucun ne lui paraissait assez bien. Je sentais toujours sa désapprobation, et même lors de mon mariage, elle estima que je me mariais au-dessous de ma condition, ce qui était ridicule.

Il faut se représenter que je ne savais rien du sexe. Absolument rien, l'inconnu total. Pas question de demander à maman : la seule idée de lui poser une question sur le sujet nous paralysait, Jenny autant que moi. Alors que nous étions adolescentes, et que nous commencions à devenir femmes, nous nous sommes dit qu'il fallait vraiment en savoir un peu plus long : par quel mystère, par exemple, les enfants venaient-ils au monde ? Ça avait sûrement à voir avec les règles et les baisers. Cela nous paraissait évident. Or notre voisine, une veuve demeurée seule avec une petite fille, venait aider ma mère lorsque celle-ci se lançait dans de grands nettoyages, ou pour faire la cuisine quand parfois nous avions des amis. Et dans ces moments-là, elle nous racontait sa vie en laissant planer toutes sortes de sous-entendus :

— Ah ! les filles, nous disait-elle, ne faites pas comme moi. Je n'ai pas été maligne, Hector [son mari] a commencé à me tromper six mois après nos noces. Ah, je peux le dire, je n'étais pas maligne !

Donc, pour rester mariée et retenir son mari, il fallait être maligne... Cela nous plongeait dans une profonde perplexité. Jenny et moi, nous en avons discuté : visiblement la veuve était bavarde et ne refuserait pas des détails si nous lui demandions. Je trouvais que c'était à Jenny, l'aînée, de s'en charger. Elle refusa tout net :

— C'est toi qui as eu l'idée, vas-y.

Nous nous disputions à mi-voix le soir une fois couchées. Mais nous étions élevées dans une telle frousse de tout ce qui touchait à la sexualité que nous ne nous sommes jamais résolues à poser la moindre question.

Un peu plus tard, Jenny a résolu le problème en se mariant, alors j'ai pu avoir quelques détails. Ma sœur n'était pas bavarde, mais elle me laissa entendre que les baisers débouchaient en général sur autre chose.

Finalement, j'avais peu à peu tout deviné mais il me resta longtemps une incapacité à parler de « ces choses-là ». Tellement, qu'il me paraît à peine croyable aujourd'hui de pouvoir en discuter aussi librement avec mes propres enfants. Avec eux, depuis le début, il n'y eut jamais l'ombre d'un problème, et pourtant je suis terriblement pudique, mais la vie s'est chargée de me transformer. Il me reste ce poids terrible de n'avoir jamais pu poser la moindre question à ma mère.

Paradoxalement, je sais que papa s'était longtemps demandé si, après mon travail, j'avais des aventures. Ces doutes que je sentais chez lui avaient fini par m'exaspérer, moi l'ignorante, la naïve qui menait une vie de nonne dans un milieu plutôt léger. Entre lui, père faible et faussement tyrannique, et maman qui ne cessait de me vanter l'exemple du beau mariage de Jenny avec un homme plus âgé qu'elle, certes, mais de bonne famille, riche et actif, qui avait sa propre affaire.

Ah, on pouvait le dire, Jenny était bien sortie d'affaire...

Tandis que moi, l'aventurière, chanteuse de jazz, qu'allais-je devenir les années passant ? Allais-je rester vieille fille ? C'était très joli de chanter, de faire des disques, mais est-ce que ça durerait toujours ? Ma mère avait des angoisses : devais-je poursuivre avec acharnement mon travail et oublier mariage et enfants ?

Dire que c'est pour cela que j'ai fini par épouser Georges serait malhonnête mais est-ce qu'on se marie, la première fois, avec de bons et justes motifs ? Après coup, on se dit qu'on a peut-être fait une erreur, que les raisons n'étaient pas les bonnes, mais sur le coup ? Que celle qui s'est mariée la première fois en sachant ce qu'elle faisait réellement me jette la première couronne de fleurs d'oranger !

A l'époque où Georges a commencé à me prêter attention, je ne songeais nullement à me marier. Le mariage, l'amour, pour moi c'était follement romantique, la main dans la main, les yeux dans les yeux, quelque chose comme un magnétisme qui touchait deux êtres, les réunissait pour la vie sans l'ombre d'un doute. Je voyais l'amour comme au cinéma, bref tellement plus romantique que la réalité que je vivais.

Nous sortions du studio, il faisait froid, Georges me serrait contre lui, nous allions attendre l'autobus qui n'arrivait pas et nous en étions enchantés. Mais Dieu qu'il faisait froid ! Georges me tenait la main et nous parlions musique. C'est un jour comme ça que Georges me dit : « Il faut qu'on se marie. » Je ne voyais aucune raison pour me marier avec lui, nous étions des copains un peu tendres, voilà. Mais je ne voyais aucune raison contre non plus !

C'était presque un mariage de raison. Quand j'y pense, je peux dire que c'est vraiment Georges qui m'a choisie. Il avait eu plusieurs aventures auparavant, dont deux s'étaient fort mal terminées : Georges avait été plaqué deux fois dans des conditions apparemment dramatiques. Il n'en parlait jamais ou très peu et en mettant bout à bout des demi-confidences ou des allusions de ses copains, j'avais compris que Georges était un grand blessé de l'amour. Il avait perdu toute confiance en lui, il craignait les femmes. Bref, s'il m'a choisie, je me demande en y repensant si lui aussi n'avait que de bonnes raisons... Du reste pourquoi voulait-il se marier soudain ? Il formait un trio de musiciens et les deux autres venaient justement de convoler.

Moi, à force de le voir j'avais fini par me persuader que j'étais amoureuse de lui. Et puis la musique, oui la musique, nous réunissait plus sûrement que tout autre sentiment... Nous avons donc annoncé la nouvelle à mes parents.

La première fois que j'avais amené Georges à la maison, ils n'avaient pas manifesté un enthousiasme délirant. Comme d'habitude, papa s'était montré aimable, les deux hommes avaient bu un café en échangeant des banalités. Maman n'aimait pas le genre de mon futur mari. De quelle région était-il originaire ? De Salonique, ses parents étaient nés dans les montagnes et y avaient vécu la majorité de leur vie. Et où habitaient-ils maintenant ? Toujours Salonique. Ma mère pinçait les lèvres : un fils de montagnards.

— Des sauvages en somme, déclara-t-elle après son départ.

Ah ! Il faut vraiment être grecque pour dire des choses pareilles ! Elle avait une forte tendance à oublier ses propres origines, Dieu sait que nous n'étions pas des aristocrates. Elle répétait que je me mariais au-dessous de ma condition.

De l'autre côté, ce fut symétrique : je n'étais pas assez bien pour Georges, pensèrent ses père et mère. Même si force leur était d'admettre que je représentais tout de même un bon parti : j'avais déjà fait un disque, remporté un prix dans un festival, une chanteuse à succès en somme... Financièrement je représentais des espérances. Socialement c'était autre chose.

Donc tout le monde était d'accord pour penser que nous faisions une bêtise. Mais comme tout le quartier et tout le métier nous avaient vus ensemble, il fallait sauver les apparences et la morale, donc nous marier. La date fut fixée au mois de juin 1960, un mois avant le second Festival d'Athènes.

Georges devenait de plus en plus nerveux, de plus en plus angoissé, au point qu'il a fini par avoir une allergie et faire de l'œdème : par moments, il enflait pendant quelques heures, puis tout rentrait dans l'ordre, si je puis dire. Un médecin vint le soigner, sans comprendre réellement le cas étrange de ce fiancé qui enflait et désenflait d'une manière parfaitement incohérente mais de plus en plus fréquemment à mesure que se rapprochait la date de son mariage. Voyant cela, je lui proposai de le remettre. D'une certaine manière, j'aurais dû être vexée ou peinée, or j'étais seulement soucieuse pour lui. J'avais le sentiment que Georges se doutait que nous n'étions pas faits l'un pour l'autre, que ce mariage était une erreur et que, par orgueil ou par souci d'aller jusqu'au bout de ce qu'il avait décidé, il tenait à ne pas rompre notre engagement.

Pendant ce temps-là, nous continuions à chanter et à jouer dans des clubs, lui m'accompagnant parfois, parfois chacun de son côté. Nous aimions trop ce métier pour y renoncer et je ne changeai rien à ma façon de vivre ni à mes horaires.

Ce fut une noce de vedettes. Manos Hadjidakis, notre témoin, avait alerté la radio et la presse. Et il y avait foule dans l'église et à l'extérieur pour nous voir : Nana la chanteuse, Georges le musicien.

J'avais une jolie robe, tous nos amis étaient là. J'aurais dû être contente et fière. Et je crois que j'étais souriante. Mais quand je voyais le visage de ma mère, toute ma joie disparaissait : elle faisait une tête d'enterrement. Elle ne pouvait décidément se faire à l'idée que j'épousais quelqu'un qu'elle jugeait inférieur à notre condition. Ma mère avait la dureté du granit lorsqu'elle le voulait. Il y a eu un dîner et de la musique. C'était une fête. Mais je fis tout de même mon tour de chant après au Tzaki. En somme, presque un jour comme un autre et, pour être honnête, je me souviens surtout de ma mère et des allergies de Georges. Drôle de mariage, non ?

Nous avons loué un petit deux-pièces. Avant le mariage, il n'était pas question d'y habiter mais nous l'avons installé pour qu'il soit fin prêt le jour des noces. Notre appartement était minuscule, pas très confortable, mais c'était chez nous. Je me revois entrant dans l'appartement. Je n'ai eu qu'une seule phrase :

— Enfin libre !

J'étais heureuse et terriblement naïve. Finis les gronderies et les grognements de papa parce que je rentrais à l'aube, finis les airs pincés de maman exigeant que je répète plus, que je travaille plus, terminés les reproches et les silences. J'étais chez moi. Je me croyais totalement libre et indépendante alors que j'avais simplement changé de soumission. A la place des parents, il y avait Georges. Et Georges c'était bien autre chose...

D'abord, ma vie ne changea guère parce que nous étions à un mois du second Festival d'Athènes et que je devais concourir. Il y eut donc trois semaines fiévreuses de répétitions et de travail. Puis vint le soir du concours. J'avais le trac et Georges aussi. Nous n'eûmes que le second prix, mais ce n'était pas grave, nous étions heureux ; déjà cependant, les problèmes qui allaient nous séparer s'imposaient à nous. Georges avait une belle voix, il était plutôt bon musicien. Il aurait pu réussir, mais il aimait surtout la musique entre copains, jouer dans des boîtes avec eux.

Pour moi, ce second Festival fut celui de la chance : le directeur de Fidelity avait invité le patron de Fontana Record, Louis Hazan ainsi qu'Odile, sa femme, à y assister. Tous deux passaient des vacances en Grèce. Vacances studieuses : ils cherchaient de nouveaux talents. Ils vinrent dans la soirée, m'entendirent chanter. Puis nous nous sommes vus à la réception qui a suivi. Cette fois je voulais échanger plus que deux phrases avec eux. Mais malheureusement, je ne pus prolonger la rencontre ce soir-là : Georges avait une crise d'appendicite. Nous nous sommes précipités à l'hôpital... Fausse alerte.

Quoi qu'il en soit, j'ai eu ce jour-là le sentiment que, comme pour Dorothy l'héroïne du *Magicien d'Oz,* « the yellow brick road, la route aux pavés jaunes », s'ouvrait devant moi, qui allait me mener jusqu'à la Cité Emeraude. Pour moi ce serait Paris.

VIII

Entre Berlin et Paris

Avant Paris, il y eut Barcelone et Berlin. Je suis allée chanter au Festival méditerranéen, à Barcelone. Pratiquement mon premier voyage à l'étranger : j'ai débarqué totalement inexpérimentée, ne parlant pas un mot d'espagnol, horriblement intimidée et comme d'habitude trop consciente de mon allure pour faire un effort, pour changer quoi que ce soit. Mon imprésario grec, Takis Kambas, qui, lui, parlait plusieurs langues, m'avait accompagnée. Ce curieux personnage avait l'habitude de se claquemurer dans sa chambre d'hôtel, tous volets et rideaux fermés, pour lire et relire des histoires de vampires et du comte Dracula. Si ces jours-là l'orage roulait et le tonnerre grondait, alors il connaissait l'extase.

Takis Kambas était persuadé que nous étions venus pour rien. Je restais confinée dans ma chambre d'hôtel attendant l'heure de passer en scène. Et voilà qu'à la stupeur de mon agent le public fut complètement enthousiaste ; ils aimèrent ma voix, ma façon de chanter, et je gagnai. Ah, quel souvenir ! Et le meilleur ne fut peut-être pas tout à fait le triomphe du

97

premier prix. C'est, de retour à l'hôtel, le portier qui m'appelle et me dit :

— Un coup de téléphone de Paris.

Je suis étonnée.

— De Paris pour moi ?

— Oui, oui ; il insiste en souriant.

Les nouvelles vont vite, il sait que j'ai gagné et il voit arriver des bouquets de fleurs. C'était Louis Hazan, très très content :

— Bravo, Nana, bravo. J'étais certain que tu serais la meilleure. Alors écoute, aujourd'hui j'ai eu une réunion avec Michel Legrand et Quincy Jones et je leur ai fait écouter tes disques. Nous t'attendons. Nous allons sûrement faire quelque chose avec toi, et ce sera une réussite...

Moi évidemment je croyais rêver : Michel Legrand ! Etait-il possible que quelqu'un comme lui parle de moi ? Que je le rencontre un jour...

A mon retour en Grèce, Hadjidakis préparait un film en coproduction avec l'Allemagne, intitulé *Grèce, pays de rêve,* un vaste reportage sur la Grèce, mais beaucoup plus élaboré qu'un simple documentaire. Presque un film de fiction. Hadjidakis avait fait la musique. La production cherchait une voix pour faire le commentaire, comme un guide pour aller d'une ville à l'autre, d'un village à l'autre. Ma voix a donc servi pour le texte et pour les chansons, parfois avec un chœur, parfois toute seule. Pour Hadjidakis qui avait signé de nombreuses musiques de films, celle-ci représentait une de ses plus belles réussites. J'ai interprété cinq grandes chansons qui par la suite sont devenues les chansons de ma vie, puisque aujourd'hui encore je les chante et qu'elles me représentent dans le monde.

Le film a gagné le prix dans la série documentaires au Festival de Berlin. Comme il n'y avait pas de vedette dans le film, Manos Hadjidakis et moi fûmes invités pour le représenter. Manos refusa l'invitation, je partis donc seule.

A l'époque, c'était un long voyage, il fallait passer par la RFA, faire escale à Francfort ou Munich avant de prendre un autre avion pour Berlin. Et lorsque je suis arrivée à l'aéroport, ma valise était perdue. J'étais vannée, inquiète, ce voyage en Allemagne me perturbait. Pour moi, ce pays n'évoquait que violences et tristesse et j'avais beaucoup de mal à réagir, à faire abstraction du passé pour ne penser qu'au présent. Le détail de cette valise égarée me hantait comme un mauvais présage, qui en fait ne signifia rien... que de bon. En hâte, quelqu'un me prêta une robe et tout le monde se retrouva à la projection du film. Puis, pour célébrer sa récompense, le producteur donnait une grande soirée au Hilton, à l'époque l'hôtel le plus moderne de Berlin : il venait d'être achevé, sur le Kurfürstendamm. Il y avait là les représentants de la Columbia, le distributeur, l'éditeur de la musique et tous les membres du jury du Festival. Et moi j'étais l'invitée d'honneur.

J'avoue que j'éprouvais une drôle d'impression : je ne pouvais pas m'empêcher de regarder tous ces messieurs très respectables en smokings, si chics, si paternalistes, si aimables, et je me disais : « Parmi ceux-là y en avait-il en Grèce ? Parmi ceux-là, se peut-il qu'un seul se soit trouvé à Athènes quand maman et nous avions si faim et si peur, quand ils fouillaient les maisons pour trouver les résistants, quand ils tuaient des otages devant les enfants pour les faire parler ?... » Je ne crois pas avoir été une invitée parfaitement correcte ce soir-là, mais on ne peut pas être toujours civilisé quand, dans son enfance, on a vu des hommes se conduire comme des sauvages.

J'étais à la table d'honneur avec le président du Festival et probablement quelques autorités locales. Il y a eu un apéritif, un ou deux discours, on m'a demandé de chanter une chanson. Je me suis exécutée avec le sourire, puis tout le monde s'est assis. Mon nom s'étalait bien en évidence sur un carton, à droite d'un vieux monsieur à l'air merveilleusement respectable. Je ne me suis pas assise, j'ai dit :

— Vous voudrez bien m'excuser, mais je suis venue avec des amis qui ont collaboré à ce film au même titre que moi et je suis désolée qu'ils ne soient pas à la table d'honneur. Aussi, je vais transporter un peu de cet honneur auprès d'eux et aller dîner avec eux.

Et sans attendre la réponse, j'ai filé rejoindre mes amis et dîné à l'autre bout de la salle.

Ce soir-là, évidemment, Louis Hazan était présent, avec ses associés d'Allemagne, de la compagnie Philips. Il leur avait demandé s'ils étaient intéressés par moi et ma musique. Et ils l'étaient au point de décider immédiatement la production de certaines des chansons du film, en allemand. Pratiquement dans les semaines qui ont suivi, j'ai enregistré deux chansons à Berlin : *Roses blanches de Corfou,* qui donnait en allemand : *Weisse Rosen aus Athen,* et l'autre, *Adios*

Papa était projectionniste et maman ouvreuse dans un cinéma d'Athènes. Jenny, ma sœur, est mon aînée de deux ans.

Dans les rues d'Athènes, avec ma sœur et le frère de ma marraine.

Années de classe, années d'amitié : ici, avec une amie...

Le commencement

Les murs du petit cinéma en plein air,
où mon papa travaillait l'été,
étaient couverts de jasmin.
Derrière le grand écran, dans la cour, un
énorme acacia, et dans son ombre,
la petite maison où j'ai grandi.
Les parfums de mimosa et de jasmin
se faisaient concurrence les nuits étoilées.
Devant l'écran, il y avait la scène,
avec, de chaque côté,
deux énormes bouquets de marguerites.

La première chose pour moi, le matin,
était de monter l'escalier, et,
seule, sur la scène, face à la salle,
je regardais les chaises vides
et j'attendais...

J'attendais quelque chose,
tout en sachant que rien
ne se passerait avant le soir.

Le soir, en regardant les gens
choisir leurs places,
je cherchais leurs visages.
Quelques heures plus tard,
après la fin du film,

leurs visages étaient différents.
Les uns avaient l'air heureux,
les autres pensifs.
D'une certaine façon,
on pouvait sentir entre eux
un sentiment de communion,
créé par les émotions partagées.

Lorsque le dernier spectateur quittait
le cinéma, je courais encore,
une dernière fois sur cette scène magique,
et, pendant que mon père
éteignait les lumières, je restais immobile,
en regardant à nouveau la salle vide.

Je sentais quelque chose de merveilleux
et de chaleureux
qui me remplissait de joie,
et, tandis qu'un rayon de lune
inondait la scène,
j'avais l'impression de voler... loin...

« Est-ce que tu rêves encore ? »
demanda ma mère...

... et là, avec une autre.

Maman aimait nous habiller, Jenny et moi, de
la même façon.

Pour le show du
théâtre des
Champs-Élysées, une
robe longue aux
lignes très pures.

C'est peu après mon arrivée à Paris que j'ai
sensiblement raccourci mes cheveux...

Nicolas et Hélène,
mes enfants, ont
deux ans d'écart.

... et entrepris de
maigrir comme le
montre cette photo
prise à Rome.

L'extraordinaire escalier du foyer de l'Opéra de Paris...

... et la décontraction de la Côte d'Azur.

A nous deux, New York,
ou une semaine de
spectacle au Broadway
Theater !

en allemand. Je me revois sortant du studio pour passer dans la régie. Un technicien m'arrêta au passage :

— Cette chanson, ce sera un triomphe, tu verras, me dit-il.

Il ne me connaissait pas, et moi non plus. Nous ne nous étions jamais vus. Il n'avait jamais entendu la chanson. Mais je n'oublierai jamais son visage et surtout cette phrase dite sur le ton tranquille d'un homme convaincu de ce qu'il avance : en six mois, ce petit disque avait dépassé le million et demi d'exemplaires, vendus uniquement en Allemagne. J'étais une vedette « overnight » ou presque, comme on dit en américain. Drôle de vedette, qui ne connaissait pas l'Allemagne, et n'avait pas envie du tout de rester là-bas. Non à la vérité, je n'étais pas encore tout à fait une vedette. J'avais du succès en Grèce, en Espagne, en Allemagne. Restait Paris... Si je n'étais pas connue en France, je ne serais jamais une vedette. La plupart des gens qui me connaissaient, ma mère en tête, m'avaient convaincue. Lorsque Louis Hazan m'a demandé de partir pour la France j'étais prête.

Le mois de septembre est souvent très beau en Grèce. La lumière demeure forte, mais moins violente qu'au cœur de l'été. J'aime le début de l'automne dans mon pays parce que, soudain, la douceur gagne sur la chaleur brutale. Les paysages perdent leur dureté et gagnent en mystère. Les lignes s'amollissent, deviennent un peu floues. En revanche, une sorte de vivacité s'empare des villes, après l'abattement des journées torrides : on a envie de rester dehors plus longtemps, on souhaiterait que l'été finissant ne s'achève jamais. Le désir de vivre vous reprend.

Je me suis embarquée pour Paris un jour de la mi-septembre et je jugeai de bon augure de partir à une époque que j'aimais. J'emportai peu de bagages parce que je n'envisageais pas de rester longtemps : des vêtements légers, pantalons, tuniques, robes noires comme d'habitude. Je n'ai jamais fait de frais vestimentaires excessifs, et encore moins à ce moment-là. J'étais un peu soucieuse de laisser Georges, d'abandonner notre appartement. Ce voyage représentait la fin d'une période de ma vie et de ma carrière.

En passant en revue la manière dont les choses s'étaient enchaînées depuis que j'avais quitté le conservatoire, la rupture avec mes professeurs, le conflit avec mes parents et la façon dont se bâtissait cette carrière — la mienne —, je me sentais envahie d'une grande sérénité : chaque démarche, chaque progrès s'étaient produits au moment où ils devaient avoir lieu. Même les erreurs — ce que l'on considérait comme telles, par exemple mon abandon du classique pour la chanson populaire — avaient eu un effet bénéfique. J'étais heureuse. Comme un athlète bien préparé partant à une compétition de haut niveau où il a toutes ses chances, je me sentais prête à affronter Paris. Avec un terrible trac mais le sentiment de n'avoir rien à perdre.

Tandis que je bouclais mes valises dans mon petit

appartement, mes parents vinrent me rendre visite. Ils avaient toujours le sentiment confus que leur fille cadette était mal armée pour se débrouiller dans la vie. Et chaque départ — mais ce n'était guère que le troisième, ils finiraient par s'habituer — les inquiétait terriblement. Maman, elle, toujours lucide ou — devrais-je dire — pessimiste, m'avait glissé :

— Si ça ne marche pas, ce n'est pas grave, tu es une vedette ici, c'est déjà bien.

Cela m'avait extraordinairement réconfortée. Venant d'elle, cet aveu d'estime et de tendresse me touchait plus fort que tous les mots d'amour. Elle m'avait embrassée à sa manière possessive et brusque, elle qui savait si mal les gestes de tendresse parce qu'elle en avait toujours manqué.

Quant à papa, il allait et venait dans ce petit espace, se prenant les pieds dans les affaires que je m'employais à ranger, maladroit et anxieux. Il avait envie lui aussi de dire quelque chose. Mais quoi ?

Depuis l'épisode d'Astir, il avait dû mesurer sa faiblesse et ma force. Il éprouvait pour moi une véritable admiration. Mais avec un doute, si faible soit-il : sa fille exerçait un métier lucratif, certes, il en était même un des bénéficiaires, mais était-ce bien un métier convenable ? Il lui faudrait sans doute des années, des milliers de disques, d'articles de journaux, d'affiches géantes pour le convaincre que la musique populaire, la chanson étaient tout aussi respectables que le bel canto.

Ils finirent par me laisser achever mes bagages et rentrer chez eux, à la fois soucieux et emplis d'une fierté inquiète. Nana, la petite Nana partait pour

Paris. C'était la gloire. Pour moi, un chapitre tout neuf commençait. Mais cela, en arrivant à l'aéroport, j'en avais à peine conscience : ce voyage n'excéderait pas quinze jours, ensuite je reviendrais à Athènes et la vie continuerait de taverne en disque. Ainsi, je me voyais poursuivant ma carrière dans mon pays...

La Némésis, le destin, en avait décidé tout autrement.

Depuis que Louis Hazan m'avait entendue, il envisageait de me faire venir à Paris pour tenter ma chance. Mon succès en Allemagne avait conforté sa décision. Il voulait, dès ce moment-là, prévoir une date d'enregistrement et programmer la sortie d'un disque en France. En quittant Berlin, il m'avait dit :

— Puisque tu rentres, attends-toi à avoir de mes nouvelles très rapidement.

J'eus dès lors le sentiment que, tel un deus ex machina, Louis Hazan dessinait ma carrière sans que j'aie à intervenir, sinon pour réaliser les projets prévus. Ce sentiment ne m'a pas quittée pendant longtemps. Aujourd'hui encore, je le considère comme un des personnages clefs de ma réussite.

Cette promesse faite dans le hall du Hilton au moment de nous quitter n'était pas un vain mot. On m'a téléphoné un matin de chez Fidelity :

— M. Hazan va vous téléphoner aujourd'hui à telle heure, venez.

Inutile de préciser que je me précipitai, en avance. Le téléphone a sonné, la standardiste me l'a passé immédiatement :

— Nana ? Louis Hazan ! Attends, je t'ai préparé

une surprise. J'ai avec moi deux personnes qui veulent te parler.

Et qui était au bout du fil ? Quincy Jones et Michel Legrand. Evidemment, vu nos connaissances respectives en français et en anglais, la conversation avec Quincy Jones se limita à quelques mots. Mais essentiels :

— Hi Nana, how are you ? You are great, real great. I just heard a tape... (Bonjour, Nana. Comment ça va ? Tu es formidable, vraiment formidable. Je viens d'entendre une bande de toi...)

Quincy Jones n'est pas follement expansif, mais je comprenais bien que mon style de chanteuse lui plaisait. Mon cœur battait à se rompre. Moi, dans ce petit bureau à Athènes, avec la ligne du téléphone qui grésillait. Et le grand Quincy Jones qui disait :

— We must work together one day... I'll see to it with Louis. O. K. ? Il me disait qu'il voulait travailler avec moi et qu'il allait arranger ça avec Louis. J'avais les joues brûlantes d'émotion.

Puis ce fut Michel Legrand dont je reconnus instantanément la voix un peu cassée qui, parfois, remonte dans les aigus. Il se montra tout aussi direct, et amical comme si on se connaissait depuis longtemps :

— Alors Nana, on se voit bientôt ? Ta voix est formidable. On va sûrement travailler ensemble, aussi, nous t'attendons.

Soyons honnête : tous les musiciens, tous les chanteurs se congratulent lorsqu'ils se rencontrent pour la première fois, ne serait-ce qu'au téléphone. Mais là le dialogue se situait au-delà des simples formules de politesse : personne ne les avait obligés à m'appeler,

Louis Hazan ne leur avait pas demandé de me parler. Pour une fois, je savais que la sincérité seule les motivait : oui, je travaillerais un jour avec eux. Décidément, ce voyage à Paris tournait bien.

Louis Hazan prit ensuite l'appareil pour régler les derniers détails. Je devais partir sans attendre, je commencerais à travailler presque immédiatement. Tout était prévu, planifié, arrangé.

Ni Georges, ni mes parents, et Jenny encore moins, ne m'accompagnèrent à l'aéroport. Ils l'avaient fait lors de mon départ pour Berlin et avaient apprécié de voir que la presse, photographes et journalistes, s'intéressait à moi. En même temps, ils avaient senti à quel point le monde dans lequel j'évoluais avec de plus en plus d'aisance aussi m'éloignait d'eux. Mon père, quant à lui, jugea qu'il serait désormais inutile de tenter de me suivre et préféra demeurer dans l'ombre. Il reconnaissait ainsi les différences entre nos deux univers, ce qui avait commencé de nous séparer pour toujours malgré toute l'affection que nous nous portions.

Maman rêvait de sentir de plus près le climat et l'odeur de ce qu'elle avait vainement ambitionné pour elle-même : la gloire et la chanson. Mais elle ne pouvait être pour moi autre qu'une mère. Elle demeura donc à Athènes et ne fit pas partie de ce premier voyage à Paris. Ni des suivants d'ailleurs. Exception faite de quelques séjours que j'organisai pour elle et pour mon père. Je crois que les gens âgés, si dynamiques soient-ils, ne peuvent être déracinés et promenés dans le monde entier, d'avion en avion, sans finir par se sentir terriblement mal à l'aise. Je ne pouvais imaginer mes parents — âgés ou pas — suivant mon rythme.

A l'aéroport, il y avait un ou deux journalistes et des photographes. Pour moi, mais aussi, et surtout, pour Charles Aznavour qui venait faire un spectacle en Grèce, comme beaucoup d'artistes français à l'époque. Il ne savait pas qui j'étais. Mon agent pour la Grèce nous a présentés : « C'est une chanteuse très populaire en Grèce. » Il a été charmant, courtois, très simple, ne jouant pas la superstar qu'il était, formulant mille vœux pour mon séjour à Paris, me demandant de lui envoyer mon prochain disque. Les photographes profitèrent de l'occasion. J'ai conservé un instantané : moi, coiffée d'un gros chignon banane, avec une petite veste en daim et mes éternelles lunettes, et Aznavour, qui était comme aujourd'hui parce que lui n'a pas changé. Chaque fois que je ressors cette photo, je ris de mon allure et au souvenir d'Aznavour, si gentil et qui ne comprenait absolument pas avec qui il posait.

Ce voyage se plaça sous le signe de la musique : dans l'avion même, je retrouvai un groupe de musiciens espagnols, Los Espagnoles, qui repartaient après s'être produits dans différentes boîtes de Grèce. A Athènes, Georges et moi étions allés souvent les écouter. Ils me connaissaient et savaient que j'avais remporté le premier prix au Festival de Barcelone. Nous étions presque des copains. L'un d'entre eux vint me trouver et me dit :

— Quelle chance tu as. Et tu vas voir, ça ne s'arrêtera pas à un disque. Je le sens bien. Un jour prochain tu auras besoin d'un porteur de bagages, alors appelle-moi, je t'accompagnerai dans le monde entier.

Ce n'était rien qu'une phrase de copain, mais chaleureuse et drôle. Je dois avouer qu'au moment où l'avion décollait je vis Athènes s'éloigner puis nous passâmes au-dessus du canal de Corinthe et, tout d'un coup, ce fut comme si je quittais mon pays pour la première fois. Je m'arrachais à ma terre natale en ayant le sentiment que je n'y reviendrais jamais. Et c'était tout à la fois très vrai et faux. Il n'y avait pas de doute, une page était tournée.

Louis Hazan m'attendait à Orly. Je remarquai à peine l'aéroport, très petit à l'époque. En revanche, je me sentis étouffer : il pleuvait et le plafond de nuages était très bas. Venant de Grèce, un pays de lumière, un sentiment de claustration, sous ce ciel écrasant, m'assaillit. Je n'osai pas demander à Louis si, lorsqu'il faisait beau, la voûte paraissait plus haute. La question lui eût sans doute paru ridicule. Maintenant, je le sais. Malgré tout mon amour pour la France, le ciel, même lorsqu'il est bleu, n'est jamais aussi haut que là-bas.

Arrivée à Paris, on m'a installée au Lutetia. A l'époque c'était un hôtel de luxe au charme désuet, beaucoup moins chic que ce qu'il est devenu, mais d'une certaine classe tout de même. Ma chambre était tapissée de fleurs bleu clair avec des appliques en forme de bougies à girandoles et d'épais rideaux marine un peu pelucheux. Elle était vaste et la salle de bains vieillotte aurait pu contenir la chambre et la cuisine de mon appartement athénien. Nous étions au début de l'après-midi et Louis Hazan m'a plantée là en me disant :

— Tu t'installes, tu te reposes, et, ce soir vers sept heures et demie, nous viendrons te chercher, Odile et moi, et nous irons dîner ensemble.

J'appuyai mon visage contre la vitre qui dégoulinait de pluie et regardai en contrebas la circulation du boulevard Raspail, les pavés luisants, les feuilles déjà jaunies des arbres du square Boucicaut. Et, soudain, je me mis à pleurer. Les larmes jaillirent sans que je puisse les arrêter : j'étais à l'unisson de ce temps gris, de cette averse qui giflait les fenêtres, de cette saison froide et inhospitalière qui me mettait en terre étrangère plus sûrement que ne l'avaient réussi le voyage, le passage à la douane ou la différence d'heure et de langue. Oui j'étais bien loin de chez moi, et j'avais peur de tout cet inconnu. Plus que le trac, un doute terrible s'emparait de moi. Jusqu'ici, tout avait été facile, finalement... Aujourd'hui, tout commençait vraiment. A partir de ce jour, il me semblait que j'étais engagée dans le tout ou rien d'une formidable partie de poker que je craignais de ne pas maîtriser. Je ne comprenais pas la langue, Paris était immense et inhumain. Je ne connaissais personne en dehors des Hazan. La vedette d'Athènes n'était rien d'autre qu'une jeune fille anonyme et myope, sanglotante et terrifiée. Après m'être laissée aller un bon moment, mon énergie reprit le dessus : je rangeai rapidement mes affaires, pris une douche pour le plaisir d'utiliser une aussi vaste salle de bains et sortis faire un tour. Comme j'avais peur de me perdre, je ne m'éloignai pas trop, mais je réussis à descendre jusqu'à la Seine et remonter.

Le soir même, les Hazan sont venus me chercher.

Nous avons dîné dans le quartier, puis ils m'ont emmenée au Club Saint-Germain, rue Saint-Benoît. Avec bonheur, j'oubliai toutes mes appréhensions de l'après-midi et je me plongeai dans la musique.

Il y avait un orchestre de jazz avec le grand Chet Baker. Moi j'adore la trompette, ses sonorités me donnent le frisson. Je passai un moment sublime, oubliant que j'étais à Paris, oubliant qui j'étais : la musique courait dans mes veines.

L'orchestre a fait une pause et a été remplacé par des disques. Les gens se sont mis à danser. Donc nous étions tous les trois, Odile, Louis Hazan et moi, buvant un verre. Soudain, un inconnu s'est approché et a invité Odile. Elle s'est levée et a dansé. J'étais ahurie.

J'ai dit à Louis :

— Mais comment ! Elle danse avec un étranger ! Alors... quelqu'un qu'on ne connaît pas vous invite à danser et on accepte, c'est normal, ça ?

Louis s'est mis à rire et pour toute réponse :

— Tu veux danser ?

J'ai refusé. Je me demandais s'il n'irait pas à une autre table inviter une autre femme. Ça me paraissait absolument impensable. En Grèce, c'eût été une manière de faire indécente. Je devais avoir l'air d'une paysanne sortie de son trou : j'ouvrais de grands yeux effarés. Mais franchement, j'étais surprise, choquée. Et quand Odile est revenue, Louis lui a demandé :

— Est-ce que ça t'a plu, est-ce qu'il t'a fait la cour ? Odile a souri l'air complice :

— Hum, hum, elle a fait.

Moi j'étais complètement dépassée. Leurs habitudes, leur humour, leur sophistication m'étaient étrangers. J'ai dit :

— Mais comment pouvez-vous poser une question pareille !

Quand ils m'ont déposée à l'hôtel, il devait être quatre heures du matin, j'étais vannée et, surtout, j'avais l'impression d'avoir débarqué sur une autre planète.

Le lendemain, il faisait beau. Odile me téléphona très tôt. Elle avait tout arrangé : nous prendrions le petit déjeuner au Flore — il fallait que je connaisse l'endroit —, ensuite, visite de Paris en voiture. Et entre-temps, rendez-vous chez Fontana pour voir Louis et commencer à travailler. Ainsi fut fait. Cette première journée avait une allure de demi-vacances et Odile, qui allait devenir une sorte de sœur, me fit découvrir le Paris qu'elle aimait ; il n'avait rien à voir avec celui, classique, que visitent les cars de touristes, et il me plut : le Marais, le Quartier latin, quelques boutiques, la Seine. J'entassais les images et je rêvais. L'après-midi fut consacré au travail : je rencontrai le directeur artistique, qui devait s'occuper de moi, me présenter des chansons, les auteurs. Pour moi, tout était nouveau, ou plutôt différent de la Grèce. Là-bas je n'avais pas vraiment de directeur artistique : Manos Hadjidakis aurait pu assurer cette fonction si je le lui avais demandé formellement. Tout se passait en fait en discussions entre lui et moi, ou avec différents musiciens. Là, rien de tel : mon premier directeur artistique, Philippe Weill, était chargé de manager mon premier disque français. Tout passerait par lui, il en était totalement responsable. Nous avons bavardé un tout petit peu — toujours mon problème de langue —, disons que nous nous sommes débrouillés tant bien que mal pour nous comprendre, et un quart d'heure plus tard un musicien et un parolier sont arrivés : Emil Stern, avec Eddie Marnay. La crème de la crème. Je connaissais leur nom. Nous avons brièvement évoqué quelques chansons qui leur avaient semblé pouvoir me convenir. J'étais en confiance... Mes premières rencontres effacèrent complètement la tristesse de l'après-midi de mon arrivée. Je n'avais plus qu'une envie : entrer en studio au plus vite.

De Philippe Weill, Louis Hazan m'avait dit :

— Je ne sais pas si j'ai raison, parce que, vraiment, c'est quelqu'un qui t'est complètement opposé, et je ne sais pas si tu vas t'entendre avec lui.

Et j'ai conservé longtemps le souvenir du jour où j'ai rencontré Philippe Weill. Eh bien, ce fut très simple : ça a été le coup de foudre. D'abord je l'ai adoré parce qu'il était original, et drôle. Lui a vu tout de suite qui il avait devant lui. Cet homme intelligent, fin, savait que je ne pouvais comprendre tout ce qu'il me disait. Il n'y avait pas qu'une question de langue : je n'appartenais pas du tout au même univers que lui, mais c'était un artiste, doté de beaucoup de cœur, et nous n'avons jamais eu de problèmes. Travailler avec lui fut absolument merveilleux.

Dès le premier jour, j'avais commencé à répéter un peu les chansons. Lors de notre première rencontre, Philippe Weill a décidé du jour de l'enregistrement, il m'a fait rencontrer Raymond Lefèvre, le musicien chargé des arrangements, pour discuter avec lui des tonalités, et de nos différentes manières de travailler. Philippe m'observait, il guettait mes réactions, ma manière de parler ou de m'exprimer et mes difficultés à le faire. Vers la fin de l'après-midi, il a dit :

— Je sais que c'est très difficile pour toi, tout ce que tu dois faire. Tu dois tout prononcer correctement sans entraînement...

Il avait raison, la musique ne me posait aucun problème, mais il en allait tout autrement des textes. Et alors il m'a dit :

— Je vais m'arranger et je te promets que tu auras ce qu'il te faut pour que tu puisses te mettre dans l'ambiance.

Quelques jours plus tard, nous devions enregistrer toutes les bases d'orchestre des quatre chansons. Il y avait *Un roseau dans le vent,* devenu un vrai succès de Stern et Marnay, une chanson grecque intitulée *Timoria*, ce qui signifie « la punition », et deux de Hubert Giraud et Pierre Delanoë ; *Le Petit Tramway* et *Les Rues de Napoli*, qui demeure une des chansons les plus difficiles que j'aie eu à interpréter. Je l'ai toujours dit, et je le dis encore, c'est même un sujet de plaisanterie entre Pierre Delanoë et moi. Elle commençait par ces mots : « Jambes nues, elle a couru dans les rues, dans les rues de Napoli, Napoli. » Pour moi, ce n'était pas facile et même imprononçable.

A la fin de cette première journée, j'étais épuisée. Pas tellement physiquement, mais nerveusement : toutes ces rencontres avec des gens nouveaux, l'idée de ces textes que j'avais du mal à comprendre et que je devais mémoriser — texte et musique — en un temps record, et en même temps l'excitation de travailler à Paris dans d'excellentes conditions.

Quand je suis rentrée à l'hôtel, il y avait dans ma chambre un magnétophone et une bande.

— Voilà, me dit Louis Hazan qui m'avait raccompagnée, ce magnéto, tu dois t'en servir pour apprendre à prononcer certains mots, certains sons très importants dans la langue française.

Et il a enchaîné en lisant toutes les paroles des chansons, et en soulignant les prononciations difficiles ; il les a enregistrées, et après, il a ajouté quelques éléments de diction pure : par exemple comment dire les *r,* sans les rouler comme en grec. Il a précisé :

— Quand tu chantes dans une langue, il faut te prendre au sérieux. Chanter sérieusement, pour apprendre à ne pas rouler les *r,* par exemple, et puis les dire si possible comme en français.

Suivirent quelques exercices et des phrases à dire avec des mots en *r* : roue, rose, râler, roi. Etc. En somme, il a précisé les grands principes phonétiques de la langue française, il les a consignés sur une feuille de papier pour que je les apprenne, et il m'a fait une bande avec tout ça. Et puis il m'a abandonnée en tête à tête avec ce travail. Il me restait deux jours avant d'entrer en studio et d'enregistrer mes chansons.

Le lendemain matin, j'ai reçu un coup de fil d'Odile, qui me demandait comment ça allait. Elle était volubile :

— Comment ça va ? Est-ce que tu as bien dormi ?

A ma stupeur totale, elle qui parlait couramment italien et anglais ne me parlait qu'en français, et je ne comprenais absolument rien de ce qu'elle me disait. J'ai eu un coup d'angoisse

— Mais, que se passe-t-il ? Pourquoi vous me parlez comme ça ?

Louis Hazan avait donné une consigne ferme : tous ceux qui me parlaient ne connaissaient qu'une langue, le français. Il me le confirma au téléphone et conclut :

— Alors débrouille-toi.

J'ai commencé à vivre — et je n'ai jamais cessé selon les pays où je vais — en ayant sans cesse à côté de moi des petites phrases toutes préparées, un dictionnaire, pour tenter de me faire comprendre.

Odile, quand elle venait me voir, parce qu'elle était gentille, me soulageait un petit peu, puis elle essayait de m'apprendre quelques mots.

Le premier jour en studio, je dus faire de tels efforts que j'en attrapai la migraine. J'avais vraiment un mal fou. Finalement, nous avons réussi à placer les bases des quatre chansons. Ceux qui ne parlent pas le grec auront du mal à comprendre mes difficultés. Imaginer de faire dire à quelqu'un : « Jambes nues elle a couru dans les rues », alors que la lettre *u* n'existe pas dans ma langue maternelle ! Pas plus que le *j* qui se prononce « *z* ». Je disais « Zambes ». Même le *an* ne se prononce pas *an* mais *e*, le *a*, le *o*, le *i* sont très ouverts alors qu'ils peuvent être fermés en français. Ainsi, je n'ai jamais réussi à dire « rôder », j'ouvre toujours le o. Bref, j'ai fait des progrès mais à l'époque, c'était un supplice : ma langue patinait littéralement sur le *ge* et le *j*, le *u* et le *ou*... Je n'oublierai jamais ces huit heures de séance.

Et puis, immédiatement après, Philippe Weill qui

était vraiment un type intuitif et généreux, m'a réservé une grande surprise : il avait invité quatre ou cinq musiciens de jazz, dont un Grec d'origine, très connus à l'époque. Il m'a dit :

— Allez, vas-y, défoule-toi maintenant. Chante ce dont tu as envie.

C'était vrai, mon accent n'avait plus d'importance, seul le rythme comptait. On a rapidement passé en revue les chansons de jazz que nous pouvions jouer ensemble : « *Smoke gets in your eyes* », « *Foggy Day in London Town* »... Nous sommes restés au studio jusqu'à quatre ou cinq heures du matin. On a quand même enregistré tout ça un peu comme souvenir, un peu aussi pour la promotion : cela faisait de moi une chanteuse capable de jazz et de variétés. Louis Hazan a fait des maquettes avec cette session, et il les a données à Quincy Jones et à Michel Legrand, pour que ces musiciens m'entendent chanter autre chose que du grec.

Et voilà. Tout ça n'avait duré qu'une semaine. Pour moi, j'avais l'impression d'être partie un an. Mais ce qui m'avait marquée le plus, c'était : « Jambes nues elle a couru dans les rues de Napoli. » Ça m'est resté.

En dehors des soirs d'enregistrement, les Hazan m'emmenèrent partout où je pouvais entendre de la bonne musique dans les boîtes — il y en avait quelques-unes — et surtout un soir à l'Olympia voir Edith Piaf. Un de ses derniers spectacles parce qu'elle est morte quelque temps après. A peine avait-elle paru sur scène que l'émotion me submergea. Je comprenais alors pourquoi elle était une telle légende vivante. Et dire que je ne saisissais pratiquement rien

116

de ce qu'elle disait, sinon un mot de-ci de-là, un « Allez venez Milord » si connu. Mais je percevais tout le sens de ce qu'elle chantait rien qu'à ses gestes, ses intonations. Je ressentis plus fortement que les autres *Les Blouses blanches*. Sur le coup sa signification m'avait échappé, et pourtant, en la voyant l'interpréter, j'étais bouleversée. Beaucoup plus tard, j'en découvris le sens. Mais à ce moment-là, je ne fis que le pressentir vaguement : l'univers de folie, notre monde torturé, son âme torturée. Mes larmes montèrent. J'étais prise par ce chant et le charisme qui émanait de cette femme, une tempête de sentiments divers m'agitait. En sortant de l'Olympia, je sanglotais, Louis Hazan, toujours très maître de lui me dévisageait comme on observe un animal étrange, sorti de la jungle et amené jusqu'à la civilisation.

Je retrouvais d'une autre manière le choc et la fascination, l'impression de vivre ce que je voyais et j'entendais lorsque ma mère m'avait emmenée au théâtre pour la première fois. Mais là, il s'agissait de bien autre chose : j'étais adulte et j'avais assisté à un prodigieux spectacle.

Nous sommes sortis et Louis m'a fait traverser le boulevard des Capucines. Au fronton, le nom d'Edith Piaf brillait en lettres rouges comme toujours pour les vedettes de l'Olympia. Il me prit le bras. Je hoquetais que je ne voulais plus chanter. Je voulais rentrer en Grèce, me terrer. Je n'avais plus le droit de me dire chanteuse, plus le droit d'être aussi prétentieuse après ce que j'avais entendu... Il me serra le bras un peu agacé :

— Regarde ces lettres rouges !

117

Je continuais mon numéro, tout dans la tragédie grecque mais croyant dur comme fer à ce que je racontais.

— Arrête tout de suite. Il s'énervait. Qu'est-ce que c'est, ton métier ? Tragédienne ? Regarde plutôt. Tu vois ce nom ?

— Oui dis-je. Je reniflais.

— Sèche tes larmes. Ne pense qu'à une chose : un jour, il y aura ton nom, Nana Mouskouri, écrit aussi gros avec les mêmes lettres rouges.

Du coup je me remis à sangloter. Je ne pouvais pas le croire, pas après avoir vu Piaf. Louis Hazan ne se trompait pas : en 1967, mon nom brillerait au fronton. Mais pour moi, l'essentiel c'était la salle, ce lieu magique où tant de grandes vedettes s'étaient déjà produites.

Les enregistrements achevés, je suis revenue chez moi, en Grèce. J'étais très heureuse, bien sûr, de retrouver mes musiciens, et Georges évidemment. Il voulait écouter tout ce que j'avais fait. On m'avait bien sûr donné une bande. Ce fut une folie : la musique était magnifique, on ne comprenait pas les textes mais je m'exprimais en français ! Quelle merveille, et j'avais réussi cela en huit jours seulement ! J'étais vraiment la Jeanne d'Arc de la musique grecque. C'était quelque chose d'incroyable. Il n'avait jamais entendu quelque chose de mieux... Enfin c'était formidable. Ce premier disque français fut accueilli avec frénésie dans mon pays. En revanche, en France, l'accueil fut mitigé. Un peu de radio, mais enfin ce n'était pas un énorme succès.

Etrangement, en Allemagne, mon disque était sortı très peu de temps auparavant et le chiffre des ventes atteignait un record. Mais il y a une chose caractéristique en France, en ce qui me concerne : les Français n'ont jamais été influencés par ce qui se passe dans les autres pays, ou très rarement. D'ailleurs, ils n'ont jamais copié mes succès. Ils ne sortent même pas mes disques en anglais plus tard, ou en allemand, ou en grec, ils ne sortent que des disques français, ils ne visent que le public français.

A cela s'ajoute le fait que la promotion était très réduite. On investissait dans ce domaine beaucoup moins qu'aujourd'hui. Le plus curieux, pour moi, ne fut pas la différence de succès mais la pochette des disques : en Allemagne, comme en France, elle ne portait pas ma photo. Je ne sais pas si c'était significatif. En France, il n'y avait que des dessins abstraits de micros en couleurs, et en Allemagne il y avait l'Acropole, au fond, et puis une fille une écharpe sur la tête, et une rose à la main. Mais, j'insiste, ni en France ni en Allemagne mon premier disque ne portait ma photo. Et je pense que c'était parce que je n'étais pas très belle à voir.

Mais peu m'importait : ma vie avait pris un tournant sérieux. Philips n'étant pas affecté par le pauvre succès de mon premier disque, il fut même décidé d'en faire un second.

Un peu avant de l'enregistrer à Paris, j'ai fait un saut à New York, invitée par Irving Green, le président de Mercury Record, pour faire un disque avec Quincy Jones qui était directeur artistique chez Mercury, à l'époque. Je sais que cette expression va peut-être choquer, mais je me sentais comme une enfant ou comme un chien qui allait se faire dresser. Il fallait apprendre. Et j'en avais envie. Plus le succès venait, plus j'éprouvais une véritable responsabilité à l'égard de ceux qui m'avaient soutenue.

Ce premier voyage à New York fut à la fois un rêve et un cauchemar. Tous les soirs, Quincy ou Irving m'emmenaient dans les boîtes de Harlem ou de Greenwich Village écouter Sarah Vaughan, Duke Ellington, Miles Davis, Brook Benton, Errol Gardner ou bien sûr Good Old Satchmo, Ray Charles et bien d'autres.

Pendant un mois, je me pinçais souvent : allais-je me réveiller ? Comment m'était-il possible de voir en chair et en os, d'écouter « live » tous ces artistes qui par la magie de mon petit poste de radio avaient hanté mes nuits de jeune fille ? Quel éblouissement ! Et quand nous n'allions pas dans ces temples de la musique nous assistions aux comédies musicales sur Broadway. Les nuits étaient trop courtes pour tant de bonheur. En revanche, mes journées, elles, n'en finissaient pas :

— Quand allons-nous commencer à travailler ? demandai-je à Quincy quotidiennement.

— Take it easy, baby. You are in New York, the Big Apple, Nanaki. Du calme, mon chou, tu es à New York, la grosse pomme, petite Nana.

J'étais affolée par tout cet argent qu'on dépensait pour moi qui ne travaillais pas ! Et puis j'avais envie de chanter. Enfin, la dernière semaine de mon séjour, tout s'est mis en route. Nous sommes allés répéter au A and R Studio, à l'angle de Broadway et de la

42ᵉ Rue. Avec Phil Ramon à la prise de son, ce fut un régal : *No Moon at all, Smoke gets in your eyes, Till there was you...* Toute la journée, j'ai chanté ces ballades que j'adorais, pour faire des bases d'orchestre avec les meilleurs musiciens de New York.

Le soir nous avons enregistré sous la direction de Shelby Singleton quelques-unes de mes chansons grecques en version anglaise. Hélas, le temps manquait et nous n'avons pas pu venir à bout de ce travail.

Un mois plus tard, Quincy Jones débarquait à Paris avec les bandes sous le bras. Nous avons fini au studio Blanqui, travaillant tous les soirs d'arrache-pied. Louis Hazan était enchanté, bien que Kambas lui ait écrit de New York que je ne chantais pas assez, que j'avais un caractère de cochon et qu'on n'irait pas loin avec un comportement aussi antistar. Il exagérait. Mais pas complètement : j'avais tout à apprendre.

Enfin ils sentaient que j'avais du talent, puisque de toute façon ils s'étaient intéressés à moi, mais il n'était pas maîtrisé. Il fallait le discipliner, le faire briller, le rendre plus beau, sans lui gâcher son âme, sans lui ôter de sa vérité. Louis Hazan disait gentiment :

— Un diamant, quand tu le trouves, il n'a pas la même mine après avoir été taillé et arrangé : il faut le travailler.

Alors, c'était ça qui était extraordinaire, et c'est la chance que j'ai eue. Avec Louis Hazan, et avec Odile. Elle a été pour moi comme ma sœur, comme une grande sœur. Je pense qu'elle m'a aimée énormément. Avec le recul, je me demande si la manière dont elle m'a prise en charge n'était pas celle d'une mère : elle

121

qui n'avait pas eu d'enfant se conduisait avec moi comme si j'étais sa fille, pratiquement dès notre première rencontre. Elle m'a offert ce que je n'avais jamais trouvé avec ma mère : une complicité. Qui peu à peu devint une formidable amitié. Pour l'heure, elle aimait beaucoup la petite boulotte grecque que son mari avait découverte là-bas.

Il s'est vite révélé que Paris allait devenir mon port d'attache pour la musique : je signai avec Phonogram un contrat qui me liait avec eux — et qui dure encore —, c'est à Paris que j'avais toutes les chances de voir ma carrière progresser sérieusement.

Et puis je me mis à aimer réellement Paris. Je découvrais cette cité, et peu à peu je me sentais devenir française. Paris a une odeur pour moi, une odeur exquise de café, de gitanes, ou de gauloises, ce tabac si typique des cigarettes françaises. Partout où je vais dans le monde, il me suffit de fermer les yeux pour me souvenir de ce parfum inoubliable et unique. Dès mon troisième séjour toujours aussi bref, je changeai d'hôtel, et descendis au Montalembert, juste à côté du domicile des Hazan. J'avais une chambre mansardée au dernier étage. Lorsque je rentrais, j'avais juste la place entre le mur et le lit. C'était tout petit, avec simplement une armoire exiguë pour mettre mes vêtements, et ça a été pendant longtemps ma chambre. Je l'adorais parce qu'elle était minuscule, et je n'étais pas perdue dedans. Je revois la tapisserie toute rose, et l'immense fenêtre qui donnait sur les toits. C'est depuis cette époque-là que j'adore les toits de Paris. Ils sont eux aussi uniques au monde : il suffit d'une photo pour que je les reconnaisse avec cette lumière gris argent que donnent les reflets du zinc qui les recouvre, les multiples cheminées dont je me demande souvent à quoi elles servent, les niveaux irréguliers comme autant de passages secrets et puis, çà et là, de magnifiques terrasses grandes ou petites d'où surgit de la verdure. Les toits de Paris ne ressemblent à aucuns autres, je peux en témoigner moi qui ai visité toutes les grandes villes du monde. J'ai passé de longs moments à ce petit balcon. Je rêvais, je me sentais comme une colombe avide de liberté, de vent, de ciel, à qui l'on a ouvert la cage qui la retenait prisonnière. C'était merveilleux.

Et chacun de mes passages était bien une manière d'évasion : il ne durait pas, je revenais ensuite à la maison, en Grèce, dans notre appartement, avec Georges qui lui, n'appréciait guère mes échappées. C'est sans doute dans ces moments-là que s'est creusé le fossé qui allait nous séparer... Tout allait trop vite pour moi, et pour lui rien, ou presque, ne se passait. Il avait formé un groupe, un quartette de musiciens grecs interprétant des ballades plutôt folkloriques de notre pays, d'Espagne ou du Mexique. Ils avaient débuté ainsi, avant de s'adjoindre un batteur, et ont commencé à tourner en Europe. Un peu plus tard, ils ont aussi trouvé un clarinettiste. Ils ne faisaient pas de disque mais se produisaient dans des discothèques, des clubs à Rotterdam, Hambourg, Anvers. Ils étaient très appréciés. A dire vrai, ils espéraient ainsi être découverts et faire un disque. Et lorsque Harry Belafonte m'a proposé de partir en tournée avec lui, j'ai exigé que Georges vienne avec moi. Si jamais ça marchait aux Etats-Unis, je voulais qu'il puisse en bénéficier.

IX

Audition en Amérique

Un jour Louis Hazan me dit :

— Nous avons reçu un coup de fil des Etats-Unis, Harry Belafonte voudrait te rencontrer. Il t'a vue, entendue quelque part, enfin il te connaît de toute évidence. Qu'en penses-tu ?

Moi, première réaction : le trac. Seconde réaction : « Oui j'y vais. » Mais pas tranquille tout de même. Louis Hazan met les choses au point :

— Qu'est-ce que tu risques ? Va le voir. Notre compagnie là-bas veillera sur tes intérêts.

Harry Belafonte, toute grande vedette qu'il soit, donne, chaque fois qu'on le questionne sur le sujet, une version différente de notre histoire. Je veux dire : « Comment Harry a découvert Nana. » Il y a la version touristique : Harry Belafonte en croisière en Grèce entre dans un club, Astir peut-être, mais qui s'en souvient ? Et il voit, il entend une chanteuse à lunettes qui lui plaît. Il aimerait lui parler, la féliciter mais il préfère demeurer incognito. Le lendemain, il se dit qu'il ne faut pas oublier la chanteuse à lunettes et demander son nom et ses coordonnées à quelqu'un qui pourra le renseigner. A ce moment, le yacht largue les amarres et ce n'est que de retour aux Etats-Unis qu'il se préoccupe de la chanteuse à lunettes. Il alerte donc les talent-scouts qu'il connaît, de maison de disques en maison de disques, et finit par retrouver la chanteuse qui, entre-temps, a enregistré plusieurs disques, dont un premier en anglais à New York avec Quincy Jones : *The girl from Greece sings...* Il suffisait donc à Harry Belafonte de téléphoner chez Mercury pour avoir toutes les informations nécessaires.

Il y a aussi la version anglaise. Celle-là est la plus répandue. Pour l'Eurovision, en 1963, je vais à Londres. Harry Belafonte, lui aussi séjourne à Londres à l'hôtel Connaught, là où descendent les stars. Tout en s'habillant pour un dîner, il allume le poste à l'heure de la retransmission du concours de l'Eurovision et il tombe sur une grosse chanteuse à lunettes qui a une voix séduisante et grecque. Il se dit qu'il faudra se renseigner et va dîner... De retour aux Etats-Unis... nous pouvons reprendre le fil de la version précédente.

Toujours est-il qu'un jour de 1964, me voici dans l'avion pour New York. Quand vous avez rendez-vous avec un homme comme Belafonte, il ne faut pas s'attendre à un tête-à-tête. On m'a guidée jusqu'à une salle de conférences où se trouvaient une quarantaine de personnes. Parmi eux, la star, à qui l'on me présente. Il a un sourire charmant. C'est vrai, il est infiniment séduisant et me dit :

— Vous voilà enfin, vous savez qu'on vous cherche partout depuis longtemps.

Moi, je pique un fard. Lui se tourne déjà vers

quelqu'un d'autre : il a mille choses à régler. En ce qui me concerne, le pire restait à venir. Autour de lui son équipe : managers, producteurs, secrétaires assistants, que sais-je ? L'un d'entre eux, un jeune homme un peu timide qui était venu me chercher à mon hôtel, me dit :

— Vous allez chanter maintenant.

Un autre, croyant être aimable, ajoute :

— Nous avons fait venir quelques musiciens grecs d'un club d'ici. Vous pourrez chanter avec eux, vous vous sentirez moins dépaysée.

Il devait être dix heures du matin, j'étais en plein décalage horaire et je ne m'étais absolument pas attendue à cela. Bien évidemment, je pensais chanter, mais après un entretien avec Belafonte et un temps de préparation, des répétitions... Drame. Je fonds en larmes... Encore ! Je suis convaincue que, dans certains cas, c'est le meilleur moyen de reprendre ses esprits et de gagner du temps.

Un autre plus âgé me prend à part, tandis que la vedette discute dans un coin :

— Ecoutez, ce n'est pas si méchant. Bon, si vous ne voulez pas, vous ne chantez pas, mais quel dommage ! Nous sommes tous là, venus pour vous entendre entre professionnels. Nous savons très bien que nous ne vous offrons pas les meilleures conditions du monde.

Faire appel à mon côté pro ne rate jamais. Je me suis donc reprise :

— Je ne peux pas chanter avec des musiciens que je ne connais pas. Manifestement nous ne sommes pas de la même famille musicale. Je ne chante pas du folklore. Ils ne connaissent pas la musique que j'aime, elle est nouvelle. Eux font du touristique, si je puis dire. A la limite, je dirais que je ne suis ni grecque ni folklorique, je suis une chanteuse grecque d'aujour-d'hui !

— Alors, qu'est-ce que vous voulez ?

— Chanter toute seule.

— A capella ?

— A capella !

Et me voilà, grimpée sur la petite scène, interpré-tant deux de mes chansons face à Belafonte et son staff. Puis un guitariste de Belafonte suggère :

— Vous voulez essayer quelque chose en améri-cain ?

— Oui, quoi ?

Il propose deux ou trois airs. J'enchaîne avec lui, un air, puis un autre, puis encore un autre. Finalement et comme d'habitude, j'aurais continué si quelqu'un ne m'avait arrêtée. En fait, ils ont commencé à applau-dir : ils n'avaient apparemment jamais vu une fille qui chante a capella en claquant dans ses doigts pour donner le tempo. Harry Belafonte s'est levé et a disparu. Un assistant s'est approché et m'a dit :

— M. Belafonte vous attend dans son bureau.

A peine entrée, il m'a embrassée affectueusement :

— On dîne ensemble ce soir. J'aime vraiment ce que tu chantes. Et maintenant on va parler travail.

Il a appelé ses propres musiciens et nous avons commencé à discuter. C'est là un des bonheurs de la musique : d'un pays à l'autre, d'un continent à l'autre, on parle finalement la même langue. Nous avons passé tout l'après-midi à échanger des airs, à comparer la manière de les interpréter, à chercher des accords ou des arrangements. Je m'amusais, réellement je m'amusais, j'étais plongée dans mon élément. Le lendemain, il m'a donné un disque qu'il avait fait avec Myriam Makeba, elle l'avait accompagné dans plusieurs tournées et il la tenait en très haute estime. Il a tenu à ce que nous allions l'écouter le soir même à Greenwich Village. J'étais emballée. Belafonte a proposé :

— Tiens, je me demande si on ne ferait pas quelque chose dans ce genre-là ? Ecoute, dis-moi ce que tu en penses.

C'est ainsi que j'ai fait cinq tournées avec Harry Belafonte : de 1964 à 1966 aux Etats-Unis et au Canada. Il faut dire que le récital Belafonte était très particulier. Très impliqué dans tous les mouvements antiracistes, il voulait faire connaître les cultures du monde entier à son pays. Fondamentalement, c'était un pacifiste convaincu, persuadé que pour que les peuples se comprennent, il fallait qu'ils se connaissent mieux. Il essayait de faire passer ce message à travers son récital. En première partie, lorsque je travaillais avec lui, il y avait deux chanteurs de blues qu'il avait dénichés dans le sud de l'Amérique, en Georgie, dans ce qu'on appelle « deep south » le « Sud profond ». L'un, Sonny Terry, jouait de la guitare et boitait, l'autre, Brownie McGee, de l'harmonica et était aveugle. Il était aussi le chanteur. En seconde partie venait Harry. Il donnait deux ou trois chansons, puis il me présentait. J'interprétais quatre ou cinq airs suivis d'un ou deux duos avec lui, puis il reprenait la scène avec son propre récital, nous faisant ensuite revenir, les deux musiciens puis moi. Je dois énormément à

Harry Belafonte parce qu'il m'a réellement fait découvrir la scène et le contact avec le public. Jusque-là, je ne connaissais que les clubs, et c'était un public très différent de celui que je rencontrais là.

Or j'étais gauche, maladroite, je n'avais ni pratique ni habileté. Je ne savais que faire de moi sur scène, surtout l'espace d'une ou deux chansons. Les festivals d'Athènes, de Barcelone ne m'avaient pas apporté d'expérience : j'étais jeune, inconsciente, je me présentais sur la scène comme sur celle d'un club. Je sus que j'avais tout à apprendre, et avec un des meilleurs maîtres.

J'avais décidé d'emmener Georges avec moi. Notre couple si fragile n'avait pas d'occasions de se retrouver, et moi je voulais au contraire tenter de fortifier nos liens et faire de Georges un homme fier de lui, heureux de son métier, ce que pour l'heure il n'était pas. Il semblait devenir passif, prêt à se contenter d'être mon mari qui me suivrait partout. Je détestais cette idée. Il fallut donc le persuader de se présenter comme musicien plutôt que comme mon mari, ce qu'il avait tout simplement envisagé de faire. Nous avons répété plusieurs airs à la guitare : c'était facile puisqu'on chantait tout le temps ensemble !

— J'ai prévenu Harry que je viendrai avec mon musicien qui était aussi mon mari.

Il a fait grise mine : avait-il le trac de ne pas être à la hauteur ? J'ai préféré ne pas chercher à savoir. Il s'est quand même bien préparé avec moi et nous avons embarqué pour l'Amérique à la rencontre de Belafonte. Cette fois, la tournée se déroulait dans les universités, sur les campus.

Nous sommes partis trois semaines à l'avance pour pouvoir répéter avec les musiciens de Belafonte, choisir définitivement les chansons que j'allais interpréter et même écrire la musique de telle manière que les musiciens américains puissent la jouer. La musique grecque, ils ne connaissaient pas ça du tout. Les rythmes leur étaient réellement étrangers mais ils étaient très amusés à l'idée de découvrir tout cela. Finalement, nous avons opté pour une chanson israélienne et une grecque que je chanterais en duo avec Harry Belafonte. Et nous en avons préparé six pour pouvoir changer si l'envie nous venait. Pour Georges, au début, ce fut assez dur : il a dû apprendre à jouer avec des gens qu'il ne connaissait absolument pas, dans une autre langue, avec des habitudes différentes, mais très vite, ça lui a plu, et je crois que ces semaines de répétitions plus le mois de tournée lui ont rendu de l'assurance et le goût du travail. Il s'est mis à chanter, à proposer des harmonies, pour lesquelles il a un réel talent. Cette tournée nous a beaucoup appris à tous les deux.

Moi, chaque fois que je partais avec Belafonte, je ne quittais pas les répétitions, même quand ça ne me concernait pas. Je voulais le voir bouger, agir, diriger, comprendre le pourquoi et le comment de chacun de ses gestes. Pendant les cinq tournées avec lui, je n'ai pas raté un seul spectacle : je le suivais de la coulisse. Je connaissais par cœur ce qu'il faisait, ce qu'il disait, tous les petits détails, sa manière de vérifier l'échancrure de sa chemise avant d'entrer en scène, aussi bien que les réglages de lumière, son déhanchement à certains moments particulièrement sexy qui faisaient crier ses fans tout comme le choix et l'ordre de ses chansons. Il était minutieux, pointilleux même, sur chaque détail, et son tour était rodé comme une Rolls Royce. Bien entendu, c'était le genre de personne qui exigeait la perfection de tous ses collaborateurs. Il était dur, très dur avec tous, et il donnait lui-même l'exemple de cette exigence. En retour, il respectait énormément toute son équipe, il la motivait si fortement qu'en effet elle ne pouvait donner que le meilleur d'elle-même.

Très vite, je me suis aperçue que travailler avec lui était une référence en or. On disait dans le métier : « Belafonte a des musiciens exceptionnels, une chanteuse remarquable... » mais nous, nous savions que nos qualités, nous les lui devions.

Son influence a été déterminante à plus d'un titre. D'abord il m'a donné confiance : s'il me jugeait bonne, je l'étais. Mes choix, ma voix, ma manière d'interpréter mes chansons possédaient une qualité qu'il avait reconnue. Et, du coup, lorsque je l'ai quitté, plus confiante en moi que je ne l'avais jamais été, j'ai commencé à penser avec Georges que nous pourrions faire un spectacle à notre manière. Je me rendais compte que rien ne pouvait remplacer cette communication directe avec le public. Comme j'étais horriblement timide, j'avais imaginé qu'avant d'entrer en contact avec le public je pourrais longtemps me contenter de disques, de radio puis de télévision. Harry Belafonte m'a donné le goût de la scène : cette émotion qui se crée avec la présence humaine de

l'autre côté de la rampe, avec ce face-à-face où l'on se
retrouve seul sur scène, offert ni plus ni moins. Seul.
Disant au public : « M'acceptez-vous ou pas ? » Avant
ces tournées américaines, je n'avais jamais envisagé
une carrière sur scène. Après, je ne la voyais pas
autrement.

Les cinq premières des années soixante ont été
cruciales dans ma carrière. Celle-ci a pris une tournure
internationale. Peut-être est-ce parce que je suis
grecque. Nous autres Grecs, nous sommes des voya-
geurs, par la force des choses : obligés de nous
expatrier pour faire fortune ailleurs, contraints de
parler d'autres langues si nous voulons être compris.
Alors, dès cette époque, j'ai commencé cette vie
errante qui n'a jamais cessé jusqu'à aujourd'hui. Il y
eut les tournées avec Belafonte et d'autres ailleurs :
en Allemagne, en Belgique, en Angleterre. Je partici-
pais à des galas, je faisais des enregistrements à Paris.
Georges de son côté avait repris son groupe et ses
tournées. Nous n'avions plus ni l'un ni l'autre de port
d'attache, sinon notre appartement athénien où nous
n'étions jamais. Nous nous retrouvions dans des villes
étrangères : Amsterdam, ou Zurich. Il tentait une
carrière, moi j'apprenais à être une chanteuse du
monde entier. Et cela commençait peut-être par un
arrachement : abandonner pour toujours sa terre
natale et se dire que son vrai pays, c'est la musique...
Aujourd'hui je me sens plus grecque qu'à cette
époque. Mes racines sont là-bas dans cette terre
et sans doute finirai-je, très âgée, par m'y fixer.
Mais le moment n'est pas encore venu et, dans les

années soixante, il en était encore moins question.

Donc, tout se passait bien, la progression des ventes de mes disques s'accomplissait régulièrement... sauf en France. Un petit public commençait à s'intéresser à moi, on me manifestait une sympathie. Et ma maison de disques et les quelques amis que je m'étais faits à Paris croyaient fermement que je parviendrais un jour à être une chanteuse populaire au même titre qu'Aznavour ou Dalida. Je continuais donc à enregistrer régulièrement en France et ailleurs. Mais indéniablement, je n'avais pas encore conquis les Français. Puis, tout doucement, le succès est venu.

D'abord un duo avec Michel Legrand dans ce style qui lui est si particulier, quatre chansons un peu jazzy qui ont bien marché. Puis l'Olympia en 1962, Bruno Coquatrix n'y croyait qu'à moitié. Moi, j'étais enchantée.

Je n'avais pas encore droit aux grandes lettres de néon rouges : je passais en première partie du spectacle de Georges Brassens. Je connaissais mal ses chansons, problème de langue là encore, mais j'en avais suffisamment entendu, on m'avait suffisamment expliqué qui il était pour comprendre l'honneur qui m'était fait. Ce fut un étrange récital : Georges Brassens atteint de coliques néphrétiques souffrait comme un damné. Certains soirs, il ne pouvait tout simplement pas jouer malgré les doses massives de calmants. Alors de grandes vedettes venaient prendre sa place et se relayaient. Le spectacle a duré un mois, une chance énorme pour moi. Sur scène les meilleurs avec Brassens : Mouloudji, Jacques Brel, Guy Béart, Colette Renard, etc., et dans la salle un public exigeant, amoureux de la bonne chanson. Chaque soir, lorsque Georges ne chantait pas, je pouvais donc admirer un chanteur différent et là encore apprendre et découvrir quelques aspects différents de la chanson française. J'étais éblouie par cette solidarité, cette amitié qui poussaient d'immenses vedettes comme Brel à venir toutes affaires cessantes chanter pour Brassens, de la même manière que j'étais éblouie par le public, qui venait ne sachant pas forcément qui serait sur scène, venait quand même parce que les amis de Brassens étaient tous des gens de qualité. Quant à Brassens lui-même, les quelques contacts que nous eûmes furent chaleureux. Il m'écouta deux ou trois fois, attentif, silencieux, puis avec cet irrésistible sourire d'une surprenante tendresse, il a dit un jour à Paulette Coquatrix : « Elle va aller loin cette Grecque-là. Elle peut faire ce qu'elle veut... ». Pas loquace mais tellement, tellement bon, ce grand poète.

Les souvenirs que je garde de ce premier Olympia peuvent surprendre les amateurs de grands frissons de gloire et de splendeurs : pas de débuts éclatants, le trac oui, des applaudissements oui, mais pas de folles soirées ou de cette joyeuse bousculade, parfois un peu artificielle, des premières et des soirées mondaines... Cet Olympia, c'est celui du cœur : une image de la chanson française que je n'ai pas retrouvée depuis.

Ensuite j'ai repris ma vie errante : l'Allemagne, l'Espagne, les Etats-Unis — deux mois avec Belafonte — l'Angleterre. Mais Paris peu à peu s'imposait comme mon port d'attache. Et c'est ainsi qu'en 1963 j'ai acheté mon appartement. Ma maison. Un mot essentiel pour moi. Peut-être justement parce que je n'y vis pas beaucoup et que je voyage énormément, j'ai besoin de sentir que quelque part j'ai un chez-moi. Un endroit auquel je puisse m'identifier. J'ai donc acheté cet endroit à Boulogne, un rez-de-chaussée rue Gutenberg, derrière le boulevard d'Auteuil, avec un grand salon, une salle à manger et une toute petite chambre. C'est la première chose qui m'ait appartenu, à moi personnellement.

Il faut le reconnaître, Louis Hazan manageait ma carrière remarquablement bien. D'une certaine manière, il misait sur moi, je pouvais donc lui faire confiance. En effet, il m'a avancé de l'argent pour acheter mon appartement. Il a fait le calcul de tous les disques que j'avais vendus, il a évalué ce que cela pouvait rapporter, et il m'a avancé cinquante mille francs d'abord, puis à nouveau cinquante mille francs un peu plus tard. A l'époque c'était une somme très importante. Comme j'avais aussi mis de côté un peu d'argent sur mes cachets des tournées Belafonte, j'ai pu payer l'appartement de Boulogne en deux ans. Il coûtait cent trente mille francs.

Je n'avais jamais possédé autre chose, ni voiture, ni beaux objets. Rien. Cet espace vide, ces murs nus représentaient mon premier espace, un espace de liberté qui n'était qu'à moi. La première nuit, j'ai dormi par terre, je n'avais pas eu le temps d'acheter quoi que ce soit et je voulais à toute force l'occuper. Je me disais : « Voilà, c'est ma maison, personne ne peut me jeter à la rue. » Et j'étais si heureuse que j'en pleurais. Il y a un jardin de cinquante mètres carrés devant, un petit rien de verdure et une grille. J'y ai beaucoup vécu, préparé un tas de disques, écouté de la musique des heures et des heures. J'aime vraiment cet endroit, son calme, la vue sur le jardin. Paradoxalement, j'ai toujours rêvé de vivre au dernier étage d'un immeuble à cause de la lumière. Mais avec ce rez-de-chaussée, j'effaçais symboliquement un épisode de ma jeunesse.

Pendant longtemps, je n'avais pas eu de chambre à moi chez mes parents. Lorsque j'étais adolescente, tout à fait à la fin de mes études, nous habitions un quartier d'Athènes, sur une colline que l'on appelait le Neocosmos, le Nouveau-Monde. Nous vivions dans un rez-de-chaussée : la chambre de mes parents, plus une chambre-salon où j'avais un divan dans un coin qui devenait, le soir, ma chambre à coucher. La cuisine était une sorte de demi-sous-sol, et quand on ouvrait la fenêtre, on était à la hauteur du trottoir. La moitié de la porte d'entrée était sous le niveau de la rue. Ma sœur, sur le point de se marier, partageait le salon avec moi. Evidemment, à l'époque on n'avait pas de salle de bains privée, mais un lavoir, avec un grand bac en bois qu'on utilisait pour laver le linge. Comme au bon vieux temps, on faisait chauffer de l'eau, on la mettait dedans avec un peu d'eau froide, c'était la façon de prendre un bain. Les WC étaient à l'extérieur, communs avec les voisins. Ce n'était pas le Moyen Age, mais pas le confort moderne non plus. Le problème venait des pluies : comme nous habitions un demi-sous-sol, à contre-pente, lorsqu'il pleuvait l'eau ruisselait, et s'infiltrait. Le sol n'était pas protégé, les murs n'étaient pas isolés.

Il n'y avait ni drain ni gouttière, et l'eau absorbée par la terre ressortait dans la cuisine. Rarement au début, puis de plus en plus fréquemment parce que des fissures se creusaient. Une fois dans la cuisine, l'eau atteignait la chambre-salon, et même parfois celle de mes parents. Il y avait souvent des inondations un peu partout. Je ne peux pas comprendre comment on pouvait vivre dans des conditions pareilles. Mais j'étais jeune, et dès que le soleil revenait, je n'y pensais plus. Jusqu'à un jour d'hiver.

Le 7 janvier, la Saint-Jean, c'est ma fête — je m'appelle Joanna, souvenez-vous. C'est aussi le dernier jour des vacances de Noël et la veille de la reprise des cours. Ce jour-là, il faisait très mauvais, le ciel était lourd, tout noir, et on attendait la pluie. Or, lorsqu'on célèbre la fête de quelqu'un en Grèce, on ne lance pas d'invitations formelles : tout le monde, les amis, la famille, vient tout simplement. On n'aurait même pas idée de ne pas venir, ou alors on s'excuse. Mais l'invitation est inutile : on savait que le 7 janvier c'était la fête de Nana et donc on venait chez elle pour la lui souhaiter. Et selon l'habitude, la famille avait préparé des gâteaux, et chaque visiteur se voyait offrir une douceur, de quoi se restaurer, on bavardait et voilà... Et moi, j'attendais surtout mes amies, des grandes personnes aussi, mais surtout mes amies. Elles sont venues dans l'après-midi, pas le soir. Et je me souviendrai toute ma vie que j'ai passé ce 7 janvier à prier pour qu'il ne pleuve pas, toute la journée je me suis dit : pourvu qu'il ne pleuve pas, ce serait horrible. Mes copines s'amusaient, riaient, mangeaient les gâteaux que maman avait préparés, et tout a fini par se passer si bien que j'avais commencé à me détendre et à profiter moi-même de ma fête. Là-dessus, l'après-midi s'achevant, on entendit des grondements dans le ciel. Et en moins d'un quart d'heure, il tombait des cordes. Certaines de mes amies étaient déjà parties, les dernières filèrent juste avant l'orage. Mon beau-frère est resté plus tard que les autres, il faisait partie de la famille. Ma mère a préparé un dîner rapide, des boulettes, des œufs sur le plat. Nous n'avions pas très faim. Puis j'ai commencé à faire la vaisselle — depuis notre enfance, Jenny faisait le ménage et moi la vaisselle. J'étais donc dans la cuisine, et j'ai senti de l'eau glacée ruisseler sur mes pieds :

— Ça y est, ça recommence, ai-je dit.

Mais j'éprouvais un véritable soulagement : personne ne pouvait voir ça parmi mes amies. Je devais être la seule fille de l'école à vivre dans un taudis pareil. Et puis on a mis les seaux pour recueillir l'eau. Nos gestes étaient routiniers, nous n'y prêtions plus attention. La pluie s'est arrêtée vers minuit.

— Eh bien, a dit mon père, ce n'était pas si grave que ça cette fois.

Nous avons fini d'éponger l'eau dans la cuisine, puis nous sommes allés nous coucher.

Il devait être trois heures du matin, tout à coup j'ai été réveillée par de grands bruits de tonnerre, de nouveau. Et je ne sais pas pourquoi, je me suis levée pour voir. En posant le pied par terre, j'ai senti l'eau. Elle atteignait le bord de mon lit, et je me demande encore comment les draps n'étaient pas mouillés. Mes parents, ma sœur et moi avons passé plusieurs heures à écoper avec des cuvettes. Puis à éponger avec la serpillière. Et pendant cette nuit-là, j'ai commencé à me révolter... Comment pouvait-on se trouver dans une situation pareille ? Je sais que ça arrive même aujourd'hui, mais je trouvais injuste que ça tombe sur nous. Ce n'était pas notre faute, ni celle de ma mère ou de mon père. Et je ne comprenais pas pourquoi et comment ils acceptaient cela. Pourquoi papa et maman ne faisaient-ils pas quelque chose pour s'en sortir ? Je me revois promettant à ma sœur :

— Tu sais, quand je serai adulte, je t'assure que je m'arrangerai pour qu'il ne m'arrive pas ça. Ni à mes enfants. Je ne permettrai pas que ça arrive à mes enfants. Et j'ai tenu parole.

L'appartement de la rue Gutenberg est donc la réponse au trou, aux fuites, aux inondations du Neocosmos. J'y tiens tellement que je ne veux pas m'en séparer.

Ma maison, après la rue Gutenberg, c'est Genève. L'appartement, je l'ai entièrement installé et conçu moi-même. Georges, mon ex-mari, y a peu vécu, nous étions déjà au bord de la rupture lorsque nous nous y sommes installés... Mais Genève représente un autre chapitre de ma vie, qui s'ouvre plus tard avec la naissance de Nicolas.

En attendant, je poursuivais mon existence de chanteuse saltimbanque passant d'un pays à l'autre. Au début, surtout, je voyageais absolument seule. Pas de secrétaire, pas de manager et pas de musiciens : je les retrouvais sur place. Je donnais dans le genre discret. Et je profitais de ces voyages solitaires pour devenir polyglotte. Mes tournées américaines avaient été formatrices à tous égards. Entre autres choses, elles m'avaient fait découvrir une obligation : pour que mes chansons soient comprises partout, il me fallait parler toutes les langues. Je possédais donc un équipement linguistique : dans mon sac il y avait toujours un dictionnaire — celui du pays où j'allais, plusieurs s'il le fallait — des livres ayant trait aux pays, les textes des chansons à apprendre et un magnéto-phone. La technique de Louis Hazan ayant porté ses fruits, je m'étais munie d'un magnétophone portable et je répétais inlassablement des exercices. En débu-tant dans le métier, j'avais un petit bagage en anglais et en italien. Mais je voulais maîtriser l'anglais, le français, et l'allemand. Pour le reste, je me débrouille-rais. Mais ces trois langues-là étaient celles qui me posaient le plus de problèmes.

Pourtant, elles m'étaient pour différentes raisons très familières. L'allemand était je dois l'avouer la langue de la peur et de la faim. Je l'avais entendu pour la première fois dans la bouche des soldats qui occupaient la Grèce. Et pourtant je me devais de le pratiquer, la RFA représentant aussi le pays de mon premier grand succès. Le français et l'anglais étaient les langues de l'amitié — celle des Hazan et d'André, puis d'autres — et de la musique. Elles avaient peuplé mon enfance d'airs et de mots épars que je retrouvais ici et là. J'avais même appris phonétiquement des chansons... Si phonétiquement que, lorsque je tentais laborieusement de les restituer des années plus tard en anglais ou en français, je déclenchai des fous rires.

Je parlais anglais presque couramment. En Grèce, dans les grandes villes et surtout à Athènes, l'anglais

141

est une seconde langue. Mais aussi, j'avais eu le professeur le plus original qui soit : un Grec qui avait fait toute la guerre dans l'aviation anglaise. Devenu aveugle à la suite d'une blessure, en mission, il gagnait sa vie en enseignant l'anglais. Son accent d'Oxford était superbe, et comme il ne pouvait lire ni écrire, il donnait ses cours oralement. Ce fut pour moi la meilleure des écoles, et même si je n'ai suivi ses cours que deux ans, j'en tirai un bénéfice immense. Il faut dire que l'anglais est une langue qui incite à chanter, elle se laisse facilement « attraper », les textes, à moins de choisir Leonard Cohen ou Bob Dylan, ne sont pas très compliqués.

Le français en revanche me donnait plus de fil à retordre. On me disait que j'avais des facilités, je reste persuadée que les facilités naissent avec l'envie qu'on a de connaître une langue. Le français est une langue riche, complexe, pleine de nuances et de sonorités qui m'étaient réellement étrangères, que je ne possédais pas de naissance.

J'ai donc appris seule la plupart du temps, en avion, en train, le soir à l'hôtel. Dès que j'avais une minute, je pratiquais. Je me débrouillais en italien : ma mère, avec ses ascendances corfiotes, le parlait couramment et je baragouinais déjà enfant. L'italien appartenait un peu à ma famille. Pour l'espagnol, le portugais, il m'a fallu travailler davantage. Il faut dire que lorsqu'on commence à vouloir connaître plusieurs langues, on finit par acquérir une sorte d'habitude, et sentir ce qu'elles ont de commun entre elles, et par avoir effectivement une certaine aisance à apprendre.

X

La rencontre

Jusqu'à dix ou douze ans, j'étais maigrelette et un peu osseuse. Puis j'ai attrapé la typhoïde et j'ai encore maigri. Puis en quelques années, vers quatorze ans, j'ai pris du poids... Des kilos, des kilos.

A seize ans, je pesais plus de quatre-vingts kilos. J'en suis certaine, je n'ai jamais été boulimique, je ne me gavais pas. Il n'y a pas de doute, en revanche, je me nourrissais assez mal. Mon cas doit être banal : une jeune fille qui, à la puberté, se met à grossir parce qu'elle se sent soudain perturbée psychologiquement. Je crois que je ne possédais aucun équilibre ni affectif ni psychologique. Mon seul point d'ancrage, ma seule base solide, qui le demeure aujourd'hui, était la chanson. J'étais et je reste tourmentée, le genre qui s'interroge constamment mais avec ce but inchangé, immanent : chanter. Lorsqu'on me dit : « Vous avez apporté la paix et la sérénité », je m'étonne presque. Moi qui doute de tout ? Moi qui, ayant commencé à marcher du pied droit, soudain me demande : « Mais pourquoi ai-je commencé avec le pied droit et non avec le gauche ? » Moi si peu sereine, comment puis-

143

je apporter la paix ? J'en ai souvent parlé avec des amis, mais comment pourrais-je changer ? Telle je suis, telle je demeure.

Paradoxalement, me sachant grosse et moche, je ne voulais pas me changer. Non que je n'en aie pas eu envie, mais je refusais de me voir imposer un changement. J'avais peur de me couler dans un moule, perdre mon identité. Je ne manquais pas de courage pour faire des régimes, mais j'avais besoin pour me guider de la bonne personne au bon moment.

J'ai donc traversé les premières années de ma carrière à l'allure lente et pachydermique des personnes qui veulent ignorer qu'elles traînent avec elles plusieurs kilos de problèmes, ou plusieurs problèmes de kilos. Dans mon cas, les deux expressions se valaient et je les étouffais dans les drapés de mes éternelles robes noires. Je portais mes lunettes avec entêtement. J'avais décidé que personne ne me ferait céder : myope et astigmate depuis l'âge de huit ans, je les conserverais quoi qu'il arrive.

Il faut l'avouer, mes lunettes ont posé autant de problèmes que les kilos. Agents, directeurs artistiques, auteurs, amis, tous voulaient bien accepter l'excédent de poids. Bon, après tout, Mahalia Jackson, Ella Fitzgerald, la Callas, n'étaient pas des sylphides à leurs débuts. Mais les lunettes, ça faisait beaucoup.

— Nana, on pourrait essayer... Heu ! pour les lunettes.

Le mot fatidique étant lâché, je bondissais. Pas question de ne pas porter mes lunettes sur scène : j'en ai besoin, je suis une taupe. Pas question d'enlever mes lunettes pour les photos. De mon refus des concessions, j'en ai fait un symbole, une protection. Finalement, ils sont devenus une partie de moi-même, ces binocles. Personne ne me les reproche plus. Au contraire, c'est comme ça qu'on me reconnaît quand on ignore mon nom : « La chanteuse à lunettes ». Sous toutes les formes, mes lunettes ont fait le tour du monde !

Lorsque j'ai commencé à venir régulièrement à Paris, puis finalement à m'y installer, c'est alors qu'Odile Hazan est devenue comme je l'ai dit cette irremplaçable amie et complice. Mais aussi un professeur, en toute chose, qui sans jamais me blesser m'a tout appris de la vie que je devais mener. Elle avait une manière bien à elle, irrésistible, de me dire que de toute façon j'étais très bien comme j'étais et qu'elle m'aimait comme j'étais, mais qu'un léger changement serait peut-être mieux pour les autres...

Le rôle d'Odile est demeuré capital tout au long de ces années d'apprentissage et de début de succès : elle m'a donné le goût des détails, du confort et du bon goût, d'une certaine futilité un peu fantasque, comme elle-même l'était. Elle m'a surtout appris à m'aimer. Et m'apprenant à m'aimer, elle a insensiblement fini par me convaincre de la nécessité de maigrir. Elle m'a tout simplement emmenée chez un médecin qu'elle connaissait qui reste encore mon médecin, un endocrinologue.

La première fois que je l'ai rencontré, nous avons parlé très longuement. Il m'a interrogée sur toute ma vie, mon enfance, mon adolescence, comme s'il voulait avoir un portrait complet de moi. Il m'a aussi beaucoup parlé pour m'expliquer en quoi allait consister mon régime. Mais, surtout, il m'a posé un ultimatum :

— Le régime est très simple. Je vous donne trois semaines avant de revenir me voir. Mais, attention, ne venez pas si vous n'avez pas perdu au moins cinq kilos.

Si je n'avais pas perdu ce minimum, c'est que je n'étais pas prête au moindre effort. Pour le docteur Herschberg, c'est son nom, un régime est une transformation biologique. Inutile de faire de la gymnastique ou de courir ou de se fatiguer physiquement. Il faut simplement manger certaines choses et pas d'autres. L'idée de ce médecin était qu'il fallait se nourrir quand on avait faim et se reposer. A l'époque, je ne travaillais pas encore à mon rythme actuel, j'avais plus de temps libre qu'aujourd'hui.

Il prévoyait de la viande grillée ou bouillie, maigre — seulement certaines viandes —, certains poissons non gras, également grillés ou bouillis. Des légumes m'étaient rigoureusement interdits, d'autres autorisés en très petite quantité : la tomate par exemple m'était interdite, et la carotte aussi. Mais pas les haricots verts ni les courgettes. Pas de fromage, pas de boissons alcoolisées, pas de jus de fruits. Le pain en revanche figurait au programme sous la forme de huit biscottes par jour. Dix grammes de beurre quotidiens pour la ration de graisses et au petit déjeuner, thé ou café à volonté à condition de ne pas y mettre de sucre. Pas de fruits à cause de tout le sucre qu'ils contiennent — sinon une pomme quotidiennement —, mais un citron pressé et beaucoup d'eau. Pas de lait sinon écrémé, un yaourt par jour pas plus et de la salade, mais pas assaisonnée ou alors avec une huile de paraffine. Aujourd'hui, ce régime pourrait passer pour des plus classiques, et on le suit pratiquement sans même s'en apercevoir si l'on a un minimum de discipline, tant la diététique a progressé, mais il faut se replacer vingt ans en arrière pour comprendre à quel point ces idées étaient originales et novatrices.

Ce régime ne me coûta aucun effort : j'ai littéralement fondu. En dix jours j'avais perdu neuf kilos. Il faut dire qu'entre vingt et trente ans, on maigrit facilement. J'ai eu l'occasion de découvrir cela plus tard, parce qu'ensuite j'ai toujours fait attention.

Après sept mois, je pesais trente kilos de moins, Georges, qui voyageait beaucoup avec son groupe, remarqua que je maigrissais. Mais lorsqu'il m'a découverte avec mes trente kilos de moins ; il ne m'a littéralement pas reconnue. J'étais contente, mais je n'arrivais pas à me trouver belle. Tout le monde me disait que j'étais superbe et je voyais bien dans les yeux des hommes quelque chose que je n'avais certes jamais remarqué auparavant. Je me sentais surtout en forme, et heureuse d'avoir réussi. Quand, parvenue au bout de mon régime, j'ai été voir le médecin, je lui ai dit :

— Et maintenant ?

Je pensais en avoir fini : je pesais cinquante-sept kg.

— Il faut commencer à vous contrôler, a-t-il répondu. Vous allez manger pendant trois jours une chose que vous n'avez pas prise pendant votre régime. Et vous noterez tout ce que vous avez mangé. Vous dresserez un inventaire. Vous recommencerez encore avec un autre aliment pendant trois jours et ainsi de suite. Pour voir l'effet produit sur vous par chaque aliment. Il y en a qui vous font grossir plus que d'autres...

Il avait raison, c'est même évident : par exemple, certains peuvent manger de bons desserts et maigrissent ou du moins ne gagnent pas de poids parce que leur organisme en a besoin. Moi, si je mange des desserts, des pâtes et du riz, je grossis, alors que la viande quelle qu'elle soit ne m'a jamais fait prendre un gramme. Plus qu'un régime, ce médecin m'a donné le moyen de mieux me connaître, de me discipliner. J'ai donc continué toute seule à me surveiller et je n'ai repris du poids que lorsque les choses se passaient mal et quand je me laissais aller. Mais plus jamais je n'ai été grosse comme je l'étais en quittant la Grèce.

Mon corps se modifiant, mon esprit a changé insensiblement. Odile, mon mentor, m'a suggéré de me couper les cheveux. Ils étaient beaucoup plus longs qu'aujourd'hui et je les coiffais en chignon. Le grand Alexandre a été chargé de cette transformation : il les a coupés au carré, légèrement sur les épaules. J'ai eu du mal à accepter ça. Mes cheveux étaient ce que je préférais en moi et cette nouvelle coiffure me banalisait, enfin je retirais cette impression de mon image dans le miroir.

Ensuite, on passa aux vêtements : je n'avais plus rien à me mettre, et Odile proposa Louis Féraud. Il fut donc mon premier couturier. Nous prîmes rendez-vous avec lui pour essayer des tenues, certaines pour la scène, d'autres pour la ville. L'une d'entre elles était un peu serrée : « Je vais sans doute encore maigrir », dis-je, sachant que c'était exact.

— Oh, répondit le couturier, toutes mes clientes disent ça. Je préfère ne pas attendre, et faire grossir la couture...

Odile et moi avons éclaté de rire : il ne savait sans doute pas de combien de centimètres il aurait dû faire « grossir sa couture » pour m'habiller, six mois auparavant ! En fait ce fut Per Spook, à l'époque chez Féraud, qui imagina mes tenues, ce grand jeune homme scandinave comprit très bien mes soucis. Lui et Jeannine, la première de l'atelier, imaginèrent des robes de scène qui correspondaient très bien à mon désir : des robes longues aux lignes très pures qui ne distrayaient pas l'œil, et me valorisaient. J'estime que lorsqu'on chante et qu'on offre un spectacle où la vedette est la voix, il ne faut pas détourner l'attention avec autre chose.

Odile, si impatiente, si vive d'habitude, manifestait une patience d'ange. Elle est drôle, imprévue, changeante, autoritaire, mais elle ne m'imposait rien. Elle m'amenait à décider moi-même, à accepter, à désirer cette transformation comme une exigence venue de moi et non une pression de l'extérieur. Peut-être avait-elle décidé, dans son for intérieur, qu'elle réussirait à me transformer quoi qu'il arrive.

Beaucoup plus tard, alors que j'étais déjà mince et mieux habillée, elle m'a avoué qu'elle et Louis, la première fois qu'ils m'avaient rencontrée, avaient été choqués par mon sac à main en matière plastique. Elle n'avait pas osé me le dire auparavant, comme elle ne m'a jamais fait la moindre réflexion. On apprend ça dans la vie : il y a des gens qui n'ont jamais connu autre chose dans leur existence que le plastique, et d'autres qui sont éduqués à n'apprécier que les matières nobles.

Je me moquais pas mal de cette histoire de sac. Mais Odile a essayé de m'inculquer ces notions de différence, sans que ça me gêne, sans me donner de complexes. Lorsqu'elle s'y est mise, elle avait dû sentir le moment venu : il suffisait de me pousser légèrement et de m'encourager en me rassurant, comme une mère lorsqu'elle apprend à marcher à son enfant. Toujours est-il que le résultat me stupéfiait. Je rentrais rue Gutenberg, et je regardais dans la glace une Nana Mouskouri nouvelle, plus élégante, plus énergique aussi et plus volontaire. Pourtant n'avais-je pas toujours été ainsi ?

Peut-être l'étais-je, mais plus discrètement, j'imagine. Cette métamorphose me paraissait très importante. Maria Callas, que j'avais idolâtrée, était devenue une femme mince et élégante et son public ne l'en avait que mieux aimée. J'acceptai donc ce changement... En redoutant toutefois de perdre ce qui en moi était l'essentiel et m'appartenait. Ce moi-là, je ne pouvais l'exprimer qu'à travers mes chansons, et ce micro, mon obsession, et ces notes que je devais faire passer. La puissance et la finesse, la beauté des sons qui sortaient de ma gorge, l'émotion que je pouvais transmettre à travers les paroles, à travers mes inflexions, ne devaient pas se perdre. Si jamais le prix de ma nouvelle image se payait de la perte des qualités de ma voix, et de l'affadissement ou de la modification de la chanteuse qui se cachait derrière l'image, alors tant pis, je préférais encore être « grosse, moche et mal fagotée ». Mais heureusement, tout se déroulait bien et, en devenant mince, je continuais à chanter comme par le passé, mieux encore peut-être.

Avec mon nouveau moi commença de se dessiner une évolution dans mes goûts et mes aspirations musicales. Quand j'ai été en tournée aux Etats-Unis avec Belafonte, j'ai commencé à enrichir mon répertoire. Lui comme Quincy Jones connaissaient beaucoup de monde. Je me baladais souvent à Greenwich Village, à New York, et je découvrais toutes sortes de chanteurs. Les années soixante furent des années très importantes pour la musique dans le monde entier, mais rien qui puisse être comparé avec ce qui se passait aux Etats-Unis.

Là-bas, je fis la connaissance de Bob Dylan, Joan Baez, Judy Collins ou Leonard Cohen. Ils appartenaient pratiquement à ma génération, et je me sentais beaucoup plus proche d'eux que des yé-yé qui me semblaient plus une mode qu'autre chose. La vague rock and folk tirait ses racines d'une vraie culture musicale ancrée au cœur du pays américain, un peu comme la vague musicale grecque avait puisé son inspiration au plus profond de la musique populaire, d'où son succès. Le contexte, certes différent, me semblait appartenir à la même famille. Pendant mes voyages, je rencontrais aussi des musiciens de jazz, et tous ces contacts m'enrichissaient, m'ouvraient des horizons.

En 1965, lorsque la direction artistique de ma carrière fut confiée à André Chapelle, j'étais tout à fait prête à évoluer, à changer de registre. Mieux, j'avais en tête quelques idées, quelques airs et je comptais bien les lui imposer.

André avait été assistant de Claude Dejacques, mon troisième directeur, le deuxième ayant été brièvement Gérard Cotte. André, un homme discret, voire secret, toujours ponctuel et précis, manifestait des goûts musicaux très proches des miens mais ne les laissa pas transparaître tant qu'il ne fut pas mon directeur en titre. Après mon dernier voyage aux Etats-Unis en 1965, je n'attendis pas longtemps avant de lui confier :

— Tu sais, j'aime chanter certaines chansons, mais il y en a de moindre qualité qui m'ennuient prodigieusement.

André m'ayant fait chanter « l'Enfant au tambour », formidablement adapté par Georges Coulonge, mon premier succès français en 1965, je craignais de le heurter. Je n'allais pas tout régenter sous prétexte que j'avais enfin sorti un « tube ».

— Qu'est-ce que tu aimerais chanter, par exemple ? demanda-t-il laconique.

— Des airs de Dylan, de Joan Baez ou d'autres choses approchantes. Ce style-là, je crois, m'irait bien.

Il me regarda avec un demi-sourire :

— Viens, dit-il.

Il m'entraîna jusqu'à son bureau. Ayant ouvert son tiroir il en sortit une énorme enveloppe marquée « Nana ». Elle contenait des disques et des textes de *Adieu Angelina, Like a bird on a wire* de Leonard Cohen, enfin toute une série de chansons que je rêvais de chanter, et auxquelles je n'avais pas envisagé de me mesurer jusque-là.

— Tu sais, ça tombe vraiment bien : je voulais te proposer tout ça.

C'est ainsi qu'a débuté une collaboration qui ne s'est jamais démentie jusqu'à aujourd'hui. Sur une complicité tacite, une parfaite harmonie. André a toujours su anticiper les désirs du public aussi bien que les miens, il possède ce sixième sens, cette intuition qui le rend sensible à tous les courants et lui permet de détecter modes et vraies tendances. Plus tard, insensiblement, il deviendrait plus qu'un directeur artistique dans ma vie, mais pour l'heure, il fut réellement à l'origine de mon succès en France.

Il n'était pas évident de me constituer un répertoire en français comme j'en possédais un en grec. André s'attela à la tâche avec la complicité de Pierre Delanoë, Eddie Marnay d'abord, plus tard celle de Michel Jourdan et Claude Lemesle (celui-ci m'a écrit de belles chansons sur des musiques d'Alain Goraguer). A cette époque nous allions fréquemment enregistrer à Bruxelles, Londres ou Hambourg. Nous partions tous ensemble avec André et Roland Guillotel, un merveilleux ingénieur du son dont je ne peux m'empêcher de citer le nom souvent : il est vraiment responsable de « mon son ». Pierre Delanoë à l'occasion venait revoir et corriger ses textes. Avec Claude Lemesle, tous deux m'ont adapté des textes de Bob Dylan avec tant de talent qu'aujourd'hui il m'arrive de les chanter en français même lorsque je me trouve en Angleterre ou aux Etats-Unis.

J'avais cependant encore des difficultés de prononciation et Pierre Delanoë se désolait parce que je ne « mordais » pas les mots comme il l'aurait souhaité Ainsi pas une soirée particulièrement dure me reste en mémoire. J'enregistrais une chanson canadienne : *Le Curé de Terrebonne*. Impossible de prononcer ce texte correctement, d'autant moins que le rythme musical était très rapide. J'essaie une fois, deux fois, trois fois, dix fois. Je m'énerve, je demande une pause, je recommence et retrouve les mêmes difficultés. De rage, j'ai arraché mon casque et je l'ai jeté par terre. Claude Lemesle vautré dans la cabine de son qui me regardait depuis un moment me débattre a alors pris un crayon et un papier et m'a écrit sur-le-champ une chanson... une des plus jolies. Finalement rassérénée, j'ai repris et tout s'est bien achevé, même ce fameux « Curé de Terrebonne ».

Quel talent chez Delanoë ! Il suffit pour s'en rendre compte que je cite *Adieu Angelina*, *Le ciel est noir*, *Comme un pont sur l'eau trouble*, *Ave Verum*, *Quand tu chantes*... Quant à Claude Lemesle, il m'a donné : *Chanter la vie*, *Pardonne-moi*, *Il est passé*, *L'amour est pareil*, *L'Histoire de nous*, et que dire d'Eddie Marnay : *Le jour où la colombe*, *Au cœur de septembre*, et de Michel Jourdan : *Tous les arbres sont en fleurs* et *Le temps qu'il nous reste*. A eux, je dois mes plus gros succès, mais il faut bien une mention spéciale à Lemesle et Delanoë pour : *Je chante avec toi Liberté*, qui a littéralement fait le tour du monde.

Nous avons enregistré « Adieu Angelina », et « C'est bon la vie ». Bien qu'ayant mon appartement à Paris, je naviguais entre Genève et le reste de l'Europe, et je croisais Georges ici et là. Il nous arrivait de travailler ensemble jusqu'au moment où nos relations sont devenues telles que nous avons décidé de nous séparer momentanément. Il avait loué un appartement à Genève parce qu'il jouait dans des boîtes où l'on dansait et qu'il trouvait plus facilement des engagements en Allemagne, en Hollande, en Belgique ou en Suisse qu'en France, où l'on pratique fort peu ce type de musique.

Au printemps 1967, Georges s'était libéré, nous devions nous retrouver à Genève et partir ensemble pour passer les fêtes de Pâques à Athènes en famille. Le jour de notre départ, le 21 avril 1967 à sept heures du matin, je fus réveillée par un coup de téléphone d'Odile Hazan :

— Nana ? Tu n'as pas entendu la radio ?

— Non, que se passe-t-il ?

— C'est très grave, il vient d'y avoir un putsch militaire en Grèce. Les frontières sont bloquées.

— Tout est bloqué ?

— Ecoute, pour l'instant, j'ai l'impression que tout est fermé, qu'ils ne laissent rien filtrer.

— Mais alors, je ne vais pas voir la famille ?

— C'est pire que ça...

Elle avait raison, ce serait bien pire que ça. J'ai allumé la radio et, en même temps, j'ai commencé à appeler Athènes : « Il n'y a pas de ligne pour la Grèce », disait la standardiste, ou : « Il n'y a plus de communications avec la Grèce. » J'ai téléphoné à Odile : pouvait-elle essayer d'en savoir plus ? Odile a rappelé un peu plus tard : « Toutes les communications sont coupées avec la Grèce. Il semble que des colonels ont pris le pouvoir et que le roi Constantin a accepté devant la menace communiste. » Finalement, nous avons commencé à avoir des informations : des chars patrouillaient dans les rues d'Athènes, on arrêtait des gens massivement... Je passai trente-six heures d'angoisse à pleurer sur mon pays, encore une fois sous une dictature, sur notre propre sort, exilés loin des nôtres, et surtout sur ma famille dont j'ignorais tout. Car, cette fois, il n'y avait pas de doute : la radio grecque avait commencé à diffuser des marches militaires, puis des communiqués triomphants du genre : « Le peuple est enfin libéré, la Grèce renaît à la vraie démocratie... » Puis sortit enfin un texte annonçant la suspension des droits civiques à cause « des dangers qui menaçaient l'ordre public et la sécurité » ; il était signé par le roi Constantin. Puis un autre, celui-là, nous permettait de mesurer l'ampleur du désastre : « On tirera à vue sur toute personne surprise dans les rues après le coucher du soleil. Toute tentative de stocker des denrées alimentaires sera considéréc comme un acte de sabotage et les coupables passeront en cour martiale. Il est interdit de retirer de l'argent des banques. Toutes les écoles sont fermées. » Venait enfin la confirmation de l'état de siège : « Arrestation et détention sont autorisées sans aucune formalité. La durée de la détention est illimitée. Tout rassemblement public ou privé est interdit et sera dispersé par la force. Des perquisitions pourront avoir lieu sans limitation de jour comme de nuit dans les immeubles privés et publics. Toute correspondance sera soumise à la censure. » Du fond de ma mémoire remontaient toutes les peurs et les drames de la guerre civile et de l'occu·

pation nazie : allait-on connaître à nouveau cela ?

Le premier jour, on estima à près de dix mille le nombre des arrestations. Mais que se passait-il ? Trois colonels inconnus, Papadopoulos, Pattakos et Makarezos, dont on savait qu'ils avaient, pour les deux premiers, travaillé pour la police secrète grecque, avaient pris le pouvoir « pour sauver le pays du péril de l'extrême gauche ». Les colonels inconnus tenaient le discours habituel des dictateurs : « Nous n'appartenons à aucun parti, sinon celui de la Grèce et du peuple grec. Nous sommes aux côtés de nos frères les travailleurs grecs. »

Je me sentais grecque du fond du cœur, de toute ma chair et très fière de l'être. La Grèce, ma mère patrie, cette nation qui avait tant lutté pour sa liberté et avait payé si cher le droit d'évoluer et de prendre sa place au sein de l'Europe développée, s'enfonçait dans l'obscurité. De nouveau, mon pays faisait naufrage. Les nouveaux maîtres du pays, n'étant soutenus par aucun parti politique, et violemment critiqués à l'étranger, faisaient régner la terreur pour se maintenir.

Pour moi, ce fut un choc physique : on coupait le cordon ombilical, une seconde fois on m'arrachait à ma mère et à ma terre. Au bout d'une semaine, un contact a été rétabli, j'ai pu avoir des nouvelles de ma famille, leur parler au téléphone, mais en faisant très attention à ce qu'on se disait, aux mots que l'on prononçait. Ma mère, mon père me firent sentir qu'il valait mieux ne pas revenir. J'aurais pu si je l'avais souhaité retourner en Grèce. D'autres le firent, en revinrent, et racontèrent : les amis de longue date silencieux, refusant de parler dans les lieux publics, les restaurants, et les taxis, donnant des rendez-vous « par hasard » dans des jardins publics, certains disparus inexplicablement, des familles écartelées ignorant ce que le père ou le frère avait pu devenir après avoir été emmené un soir, une nuit par la police. Revenir officiellement, n'était-ce pas accepter tacitement la situation ? J'ai décidé de rester hors de mon pays. J'ai choisi l'exil en espérant que cela ne durerait pas. Puis la situation s'est installée. Et les difficultés de toutes sortes ont commencé : j'avais un mal fou à garder des contacts parce que chacun avait de plus en plus peur de parler. Au bout de quelque temps, on s'est adapté : certains se sont accommodés du système et ont commencé à vivre avec, d'autres l'ont définitivement refusé et sont entrés en clandestinité. Le pays s'est calmé apparemment : ce serait du provisoire. Un provisoire qui a duré huit ans.

Mes parents, eux, ont pu sortir au bout d'un an environ et sont venus me retrouver d'abord à Paris puis en Suisse, à Genève, où je venais de m'installer. Pour moi, il n'était plus question de revenir là-bas tant que durerait cette dictature. Une dictature active, je l'apprenais peu à peu : les colonels ne se contentaient pas d'un ordre public. Ils avaient leur idée sur l'ordre moral : ils ont interdit des films, des livres, des pièces, des chansons, ont emprisonné des auteurs, des artistes. Et parmi eux, des amis à moi dont je n'avais pas toujours partagé les idées, mais que pour autant j'aimais et dont je respectais avant tout la liberté et la vérité. Elle n'a pas forcément le même visage pour tout le monde, mais on peut la comprendre et l'admettre, même si elle n'est pas la vôtre. J'ai eu des amis emprisonnés, exilés, battus, fusillés, ça je ne pouvais pas l'accepter.

Au début, on a tenté de me faire revenir en exerçant des pressions sur mes parents. Pas trop graves, juste des avertissements, des menaces à peine voilées. Mes parents en ont un peu souffert. Mais je ne militais pas comme Melina Mercouri et d'autres artistes qui étaient vraiment entrés en politique et, sur scène, parlaient de la situation en Grèce. Je m'y suis refusée dès le début. D'abord parce que selon ma conviction un artiste n'est pas un politique. Il n'a pas à se servir de sa popularité, de la scène pour promouvoir ses idées. Son public ne vient pas le voir pour ça : il attend de lui des chansons, pas des déclarations politiques. Le maximum que puisse faire un artiste, c'est participer à des actions humanitaires comme Band Aid, ou les disques réalisés en groupe au bénéfice de certaines œuvres ou de la faim dans le monde. C'est ma conviction. Mon engagement personnel demeure totalement privé.

Pendant toute cette période où mon pays demeurait étouffé, je tentais discrètement d'aider les Grecs en exil, de contribuer à la sortie de ceux qui étaient menacés à l'intérieur. Mes actions étaient strictement personnelles, je refusais la moindre prise de position publique. D'une part, je craignais les pressions qui auraient pu s'exercer non seulement sur ma famille proche mais sur mon beau-frère ou ses parents, et, d'autre part, je ne pensais pas que cela ait une réelle efficacité. Mon absence, ma volonté d'exil représentait ma seule déclaration officielle.

Lorsque je suis revenue chanter en Grèce pour la première fois — et j'ai attendu assez longtemps —, a surgi en moi un sentiment complexe fait de regrets et d'amertume : mon pays a subi des dictatures à plusieurs reprises comme autant de fatalités. Elles s'abattent sur lui, alors qu'il est sans cesse en quête d'une identité, d'une liberté authentique, alors qu'il vit sur un passé, une histoire qui a enseigné la liberté et la démocratie au monde entier. C'est ma fierté d'appartenir à ce pays, et je m'en veux, je m'en voudrai longtemps de ne pas avoir partagé les souffrances et les épreuves de cette dictature avec ceux de ma génération. Certes, mon destin aurait été différent, certes, mes chansons mêmes n'auraient pas coulé de la même manière. Mais ce moment atroce, je ne le connais pas comme l'ont vécu les hommes et les femmes de mon âge. En ce sens, mon exil a créé une coupure irréversible, il m'a arrachée à mes racines.

La dictature des colonels, bien qu'aujourd'hui elle soit sinon oubliée du moins effacée, a profondément affecté ma manière de vivre la Grèce. De là date la coupure définitive, la décision de m'installer à Genève. De là date un nouveau départ pour ma famille et ma carrière. La dictature me rejetant hors de mon pays a fait de moi une éternelle errante qui rêve de foyer, de racines même si elle se sent grecque, profondément grecque. Au point de ne pas revenir immédiatement en Grèce lorsque Caramanlis a repris le pouvoir et qu'enfin le pays a retrouvé sa liberté. Je me souviens de ce jour-là : j'étais au Japon lorsque j'ai entendu les nouvelles. Je ne pouvais partir immédiatement à cause de mes engagements. Mon retour s'est opéré bien plus tard. J'étais heureuse pour mon pays comme pour un parent dont tout doucement on s'est éloigné sans cesser de l'aimer. Mais au fond de mon cœur, je vivrai toujours avec cette blessure, cet arrachement qui fait que plus rien ne sera comme avant.

Coupée de mon pays, isolée, me sentant solitaire comme jamais, comment continuer à vivre ? *The show must go on*, disent les Américains. En l'occurrence, c'était ma meilleure survie. Dans cette période sombre, je me tournai vers ma bouée de sauvetage, ma raison d'exister : la chanson.

— Maintenant, tu pourrais commencer à faire des spectacles par toi-même, a suggéré André.

Depuis ma tournée avec Belafonte, je brûlais d'essayer, sans oser. J'en avais aussi parlé avec Georges, l'idée et le risque nous séduisaient. Est-ce la rupture avec la Grèce, l'idée que je devais passer à la vitesse supérieure pour défendre une certaine qualité grecque ? Est-ce tout simplement l'aboutissement de ce désir si vif, né dans les larmes dans un théâtre d'Athènes, un jour juste après la guerre, de monter sur scène ? J'ai décidé que le moment était venu.

Sam Gesser, mon imprésario canadien pour l'Amérique du Nord, que j'avais rencontré avec Harry Belafonte, me proposait une tournée au Canada et dans l'ouest des Etats-Unis : Montréal, Toronto, Vancouver, Los Angeles, et retour sur la côte Est avec une soirée à New York. J'avais déjà couvert ces villes à plusieurs reprises avec Harry Belafonte. Je n'étais donc qu'une demi-inconnue. Je partageais équitablement mon récital entre français, grec et anglais, ce qui finalement était assez représentatif de ce que j'étais devenue : une chanteuse grecque ayant adopté la France et aimant la musique américaine. Avec moi, un groupe de musiciens formé pour la circonstance, les Athéniens, en l'occurrence Georges le guitariste et ses amis. Cette tournée, organisée dès le printemps 1967, fut l'occasion de renouer plus solidement notre couple. Travailler ensemble, faire équipe sur une longue distance et pour un enjeu qui nous était essentiel nous rapprocha plus sûrement que de longs discours.

Sa présence fut bénéfique, particulièrement lorsqu'il fallut affronter les Grecs en exil. Ceux-ci, dans chaque ville, venaient me voir comme pour manifester à la fois leur existence et leur refus de la dictature. Ils attendaient donc de moi une prise de position politique sur scène, ce dont je m'abstenais. Ils le prenaient très mal : sifflets ou discussions à la sortie. A cette époque, j'ai commencé à avoir de réels conflits avec ceux qui croyaient qu'un artiste doit parler politique sur scène et discuter. Moi, je répondais : mon pays demeure mon pays, dictature ou pas, je dois l'aider à survivre pour qu'il soit un jour libre. Mais je ne voulais pas étaler les problèmes internes de la Grèce aux yeux d'un public étranger. Les Canadiens et les Américains n'avaient pas besoin de moi pour savoir ce qui se passait, si cela les intéressait. Mon idée fixe sur le rôle de l'artiste restait la distraction en priorité et non le militantisme. Les gens ont assez de problèmes avec eux-mêmes pour qu'on ne leur en impose pas d'autres lorsqu'ils viennent se distraire. Cette opinion fut chaudement discutée pendant cette tournée même au sein de notre petite équipe, mais je ne voulus pas en démordre.

De retour en Europe, je constatai que les choses prenaient bonne tournure : *Adieu Angelina,* m'annonçait André, marchait bien, on l'entendait beaucoup sur les radios, et du coup Roland Ribet suggéra une tournée d'été, réplique exacte de celle que je venais de faire au Canada. Une tournée d'été en France dans la foulée du disque, quelle bonne idée ! Tout le monde fut d'accord, et on a commencé très rapidement à l'organiser : il restait très peu de temps avant le début des vacances. J'étais enchantée à l'idée de donner un vrai récital en France et dans des pays voisins... Jusqu'au moment où, à ma stupeur totale, à mon émerveillement, je m'aperçus que j'étais enceinte. J'avais toujours rêvé d'avoir un enfant et, depuis le début de notre mariage, l'entreprise ne réussissait pas : question d'hormones, disaient certains spécialistes, de psychologie disaient d'autres. Toujours est-il que le problème soudain surgi n'était pas mince : allais-je devoir annuler la tournée ? Elle reposait entièrement sur moi et je voulais mettre toutes les chances de mon côté.

— Ne changez rien à votre programme, m'a conseillé le gynécologue. Pas question de vous arrêter huit mois, vous vous énerveriez, vous vous sentiriez frustrée et vous seriez capable de vous plonger dans un tel état que vous feriez une fausse couche. Nous allons prendre toutes les précautions nécessaires, tous les médicaments, vous ferez très attention mais vous pouvez faire cette tournée.

J'ai entrepris ce voyage itinérant enceinte de trois mois et heureuse, follement heureuse de l'être. La grossesse me mettait littéralement en état de grâce. Je ne vois pas d'autre moyen pour expliquer comment sur ma route, devant chanter pour la Rose d'or d'Antibes, je connus un moment de véritable perfection... Les gens de théâtre, les chanteurs me comprendront. Cela n'arrive pas souvent : un instant de parfaite harmonie, de bonheur et d'amour entre le public et soi-même.

Je suis arrivée dans l'après-midi à Antibes et je voulais répéter sur scène trois ou quatre chansons. Jean-Claude Brialy assurait les présentations. J'aime infiniment le comédien et l'homme chez Brialy. Bien que nous nous connaissions assez peu, Jean-Claude s'est toujours trouvé sur ma route, par un heureux hasard, dans des moments importants de ma vie comme celui-ci, acteur merveilleux, intelligent, plein d'humour et de talent. Le soir, nous étions dans les coulisses, moi en plein trac, lui charmant. J'ai toujours le trac même si je ne dois chanter que deux chansons. Une scène est une scène, le public, chaque fois un être nouveau à séduire, donc j'avais le trac. Nous sommes montés sur scène tous les deux, Jean-Claude m'a présentée.

Je me revois, comme si je regardais une séance de film, marcher sur cette scène avec une robe blanche, longue et simple, m'approcher du micro. Le silence était presque total. J'ai commencé à chanter et j'ai senti la chaleur. La chaleur humaine qui m'enveloppait comme si tous les cœurs de la salle battaient à l'unisson du mien, et m'encourageaient, m'aidaient à chanter. Un nuage d'émotion et d'amour tiède et tendre flottait autour de moi. Emerveillée de cette grâce qui descendait sur moi alors que je ne m'y attendais pas, que je ne savais rien de ce public qui n'était même pas venu pour moi. Quand j'ai eu fini, les applaudissements, contrairement à ce qui se passe parfois, n'étaient pas bruyants, pas accompagnés de cris ou de sifflets. Juste un bouquet d'amour et d'applaudissements. Personne n'est venu me congratuler, me dire « c'est extraordinaire, c'est merveilleux ». C'était inutile. Il y avait beaucoup de gens du métier dans les spectateurs, j'ai pensé qu'ils étaient simplement heureux de m'accepter. C'est en tout cas ce que j'ai ressenti : « Bienvenue dans la famille. » Enfin ! Mais pour tout le bonheur que j'éprouvais à ce moment-là, je ne regrettais pas d'avoir un peu attendu à la porte...

André, qui était présent à Antibes, partagea mon opinion : oui, les Français commençaient réellement à m'accepter comme une des leurs. Il repartit le lendemain. C'est curieux comme cet homme peu à peu faisait partie de ma vie professionnelle, comme de plus en plus je ne voulais plus prendre une décision sans lui et comme cela était venu naturellement, sans qu'il impose quoi ce soit, sans qu'il manifeste quelque autorité.

Quelques jours plus tard, il m'appela de Paris :

— Que dis-tu de faire l'Olympia en octobre ?

— En octobre ? Mais c'est tout proche, je serai enceinte de six mois, ça se verra sûrement beaucoup...

— Ecoute, réfléchis. C'est tout de même tentant.

Oui, c'était réellement tentant. En fait, Gilbert

165

Bécaud devait se produire à ce moment-là et il faisait défection. Ils ne trouvaient personne. Moi, la première joie passée, j'étais perplexe : la seule fois où j'avais fait l'Olympia datait de 1962, cinq ans auparavant, avec Georges Brassens. En 1964, j'avais fait un spectacle à Bobino qui s'était plutôt bien déroulé sans que ce soit le grand triomphe... Mais Bruno Coquatrix ne m'avait jamais reproposé l'Olympia. Avec mon sens aigu de la paranoïa, je me disais : « Peut-être pense-t-il que je ne suis pas assez bonne, ou que je n'ai rien à dire. » André insista un peu :

— Réfléchis bien avant de dire non.

— Qu'en penses-tu ? ai-je demandé.

— De toute façon tu n'as rien à perdre : tu as un répertoire bien rodé, tu as tout ce qu'il faut pour faire un bon spectacle, tu l'as prouvé ailleurs, en tournée. Le seul handicap, c'est ta grossesse. Réfléchissons encore un peu.

Je suis Balance, j'hésite toujours avant de prendre une décision, je pèse indéfiniment le pour et le contre au point de ne plus savoir... Puis j'y vais, je fonce et je ne fais pas les choses à moitié. Cet Olympia représentait une énorme chance. Mais je ne voulais pas sacrifier ma grossesse.

Et comme on peut l'imaginer, j'ai fini par accepter l'Olympia. Et, de retour à Paris, j'ai commencé à préparer ce spectacle. C'était déjà assez cocasse, une chanteuse qui fait sa première rentrée à Paris avec un gros ventre parce qu'elle attend un bébé ! Ma tenue posait plus de problème que ma voix, qui se portait de mieux en mieux. Per Spook me dessina une tunique longue et ample, un cafetan de velours rouge brodé jusqu'aux pieds, qui ne mettait pas trop en valeur mon gros ventre.

Lors d'un des premiers rendez-vous avec Bruno Coquatrix, celui-ci ne mâcha pas ses mots : il était content, très content de me voir chanter à l'Olympia, mais quand même inquiet quant au public. Y aurait-il assez de locations ? Il fallait absolument me trouver en première partie quelqu'un de déjà connu, qui « amène des fauteuils ». Pas question d'une autre chanteuse, il opta pour un amuseur, un imitateur. C'est ainsi que Jacques Martin fit avec moi cet Olympia, ainsi qu'un jeune chanteur qui venait d'avoir un très grave accident : Serge Lama. J'aimai tout de suite Serge. Il m'a dit un jour une chose très juste : « Nous faisons le même métier. » Banal en apparence. Mais il entendait par là que nous ne le faisons pas seulement et uniquement pour avoir notre nom en grosses lettres de néon rouges au fronton d'un music-hall, mais aussi parce que c'est notre façon de nous exprimer, de respirer, parce que nous ne connaissons aucun autre moyen de dire les choses que nous portons en nous, de trouver cet amour dont nous avons peut-être manqué et à la recherche duquel nous poursuivons notre route.

Ce premier grand Olympia était magnifique, la salle debout émouvante, pleine d'amour. Jacqueline Cartier écrivait le lendemain dans *France-Soir* : « Elle chante comme Noureev danse : une voix qu'il faut voir. » En revanche, il fut, et je le sentais, immédiatement déterminant pour ma carrière. En ce sens, je peux dire qu'il est inoubliable. Le fait d'être enceinte m'avait un peu repliée sur moi-même. Je chantais pour le public et pour cet enfant que je sentais parfois bouger dans mon ventre, ce qui me procurait un bonheur formidable. Il y eut le dîner classique chez les Coquatrix après la première, mais je m'éclipsai assez vite : j'étais fatiguée malgré tout. Serge Lama me dit plus tard : « Quand tu es montée sur scène le soir de la première, tu avais l'air d'un mouton qu'on mène à l'abattoir. » J'avais le trac à mourir, oui, mais j'étais probablement aussi inconsciente de tous les risques que j'avais pris. Ou plutôt, les ayant mesurés, je ne voulais plus y penser. Je refusais même de savoir ce que pensaient les autres autour de moi. Une seule chose comptait : allais-je convaincre ? Si je ne réussissais pas, tant pis, sans doute l'aurais-je mérité. Mais je ne me posais plus de questions. Il fallait y aller. J'avais l'impression de risquer ma vie, de là cet air... de mouton condamné.

Et puis, une fois sur scène, très vite, j'ai retrouvé cet état de paix et de bonheur éprouvé à Antibes et cette chaleur qui montait vers moi. Alors que je m'avançais sur scène vers le micro, des applaudissements éclatèrent. Beaucoup d'applaudissements. Avant même que je chante, le public était avec moi, il était venu m'entendre et avec enthousiasme. Ce public si difficile, il était venu. A la fin, je sus que je les avais convaincus : ils étaient debout clamant des rappels, et moi, incapable de leur refuser quoi que ce soit, pleurant d'émotion. J'aurais chanté pour eux toute la nuit si on ne m'avait arrêtée. Je leur étais tellement reconnaissante.

Ce soir-là, j'étais acceptée, j'avais trouvé la place au soleil que je cherchais depuis si longtemps. Etre une vedette, c'est l'affaire d'un instant. L'état de vedette est par essence éphémère. On ne se dit pas : « Voilà, à partir de ce soir, je suis une vedette ». Mais on peut se dire : « Ce soir, ils m'ont acceptée, et ça, pour un moment. » Donc cet Olympia représentait un aboutissement, une étape formidable pour celle qui avait été une grosse Grecque moche cheminant lentement sur une route qui n'était pas toujours semée de roses et qui était arrivée inconnue quelques années plus tôt.

Le lendemain, Bruno Coquatrix m'a téléphoné : selon lui, j'étais partie pour vingt-cinq ans... Enchantée, je me précipitai pour raconter cela à Louis Hazan. Il eut un fin sourire : « Il dit ça à tout le monde. » Quelque chose en moi me disait pourtant qu'il fallait croire Bruno Coquatrix.

Ce soir d'octobre 1967, j'ai reçu la plus belle des récompenses pour tout ce chemin laborieux, toutes les peines et les sacrifices. Tout ce qui s'était passé avant, tous les prix gagnés, les triomphes modestes, les tournées à l'étranger, tout cela me sembla-t-il m'avait conduite jusqu'à cette salle au rideau rouge, où deux mille personnes debout m'applaudissaient. Et cette salle pleine, chargée de tant de symboles, me tendait les bras, me disait : « Bienvenue, nous t'avons attendue, et acceptée, tu es des nôtres », comme les professionnels me l'avaient fait sentir à Antibes.

Une autre vie commençait. Et elle commençait par une expérience nouvelle : la naissance de Nicolas, trois mois plus tard en février 1968.

XI

Être Nana à mon tour

Nicolas est né le 13 février 1968 à Genève. C'était un gros et beau bébé. Je passai les huit premiers jours de son existence à la clinique en tête à tête avec lui. Et je savourais chaque seconde, puisque je savais que bientôt je repartirais et que je le verrais moins. Nous nous étions installés dans un appartement, Georges et moi, dans lequel nous vivions un peu en transit. Avec l'arrivée du bébé, tout a changé. Nous avons aménagé la chambre de Nicolas, puis celle de la nurse. C'était elle qui pendant mon absence me remplacerait auprès de mon fils, je voulais qu'elle se sente au mieux.

Peu à peu, après les pièces dévolues à l'enfant, j'ai continué et, pour la première fois, j'ai réellement installé ma maison. J'ai choisi chaque objet, décidé de l'emplacement de chaque meuble. Georges pris par son groupe « Les Athéniens » avait repris sa route et ne se mêlait guère de cela. La maison, c'est le travail de la femme, surtout si elle est mère.

Mon premier souci après la naissance de Nicolas a été de trouver quelqu'un pour s'en occuper en mon absence. Maman était prête à venir, et d'ailleurs elle

171

est venue quelques mois, mais ce n'était que provisoire. De plus, elle ne parlait pas français. J'ai mis des annonces, demandé partout. Je ne trouvais personne qui me paraisse avoir le cœur et le sens maternels que je souhaitais voir en celle qui serait, après tout, mon alter ego, une seconde mère pour mon fils. Puis j'ai rencontré Fernande. Elle s'appelle Fernande Schweizer. Elle porte un patronyme qui lui donne un cœur gros comme ça. Envoyée par la sage-femme qui m'avait accouchée, elle est venue me voir à la clinique. D'emblée, nous nous sommes bien entendues, mais Fernande n'avait plus envie de s'occuper de petits enfants dans des familles :

— Je passe un an ou deux auprès d'un enfant, puis il grandit et on n'a plus besoin de moi. C'est une séparation très cruelle pour moi, car je m'attache aux enfants dont j'ai la charge.

Cette réflexion me toucha beaucoup. Elle évoquait pour moi ce film si célèbre, « Le Voile bleu », où l'on voit une nurse passer de famille en famille avec des fortunes diverses. Je l'avais vu quand mon père était projectionniste dans le cinéma de mon enfance, et il m'avait bouleversée. Et voilà tout d'un coup que je tombait quasiment sur le Voile bleu. Fernande a pris Nicolas dans ses bras :

— Il est beau, ce bébé, il aura vraiment besoin de quelqu'un de bien, a-t-elle dit comme si, de toute évidence, la seule capable de s'en occuper serait elle-même.

Mais elle avait déjà la charge d'un bébé. De retour auprès de ce petit enfant, elle s'est mise à réfléchir, comme elle me l'a raconté quelques jours plus tard au

172

téléphone, en m'annonçant que, finalement, elle venait chez moi :

— Ce bébé-là a une mère qui ne travaille pas. Seul son père voyage beaucoup, donc il a déjà un abri, une situation stable tandis que Nicolas, avec un père et une mère toujours absents, il a réellement besoin de quelqu'un. L'exigence est plus grande pour Nicolas, j'ai le sentiment que je dois m'en occuper.

Ainsi, Fernande est venue et n'est jamais repartie. En 1970, Hélène est née, Fernande fut aussi sa seconde mère. Elle est comme une sœur pour moi, une sœur qui, depuis la naissance des deux petits, a tout pris en charge sans faiblesse.

Au début, lorsqu'ils n'allaient pas encore en classe, nous avons voyagé tous les quatre ensemble comme une petite tribu. Nous transportions d'hôtel en hôtel notre univers, du nounours au biberon, parfois nous louions un appartement ; comme à Londres où il m'est arrivé de rester trois mois. Puis, lorsque Nicolas a eu six ans, finies les balades : l'âge de l'école arrivé, ils sont restés à Genève et j'ai commencé à vivre au rythme des week-ends en Suisse. Maintenant, je prends l'avion comme d'autres l'autobus, pour aller à Genève dès que j'ai une minute. Je l'ai toujours fait pour rester proche de mes deux enfants.

Après la naissance de Nicolas, l'entente entre Georges et moi s'est détériorée. Il était jaloux, agacé par moi. Peut-être ne suis-je pas très facile à vivre, et notre style de vie ne facilitait pas les bonnes relations de toute manière. Mon idée du couple, c'est deux arbres qui poussent ensemble, deux cyprès grandissant côte à côte sans que l'un jamais fasse de l'ombre à l'autre. Pas évident. Georges trouvait que je lui faisais de l'ombre. On croit que la présence des enfants va arranger les choses. On se trompe. Après l'arrivée des petits, ce fut pire.

J'avais eu sous les yeux pendant des années l'image de ma mère malheureuse avec mon père, triste, opprimée. Et tous deux refusant de divorcer parce qu'à l'époque ça ne se faisait pas. Je me suis dit : « Si on doit être malheureux ensemble, mieux vaut se séparer. » Mais cette décision n'a pas été prise facilement. D'autant que pendant un long moment, je n'ai rien dit. Je ne parvenais pas à extérioriser ce malaise, je refoulais tout au plus profond de moi. J'étais très très mal.

En 1973, je chantais au Théâtre des Champs-Elysées, à Paris, lorsqu'une douleur à la gorge m'alerta. Plus une gêne qu'une douleur, mais un signal d'alarme infaillible. J'avais déjà eu cet accident une fois, jeune débutante à Athènes mais, à l'époque, la cause en était ma vie trop fatigante et la tension à laquelle je soumettais mes cordes vocales en voulant à toute force chanter en me surpassant. Là, je comprenais ce qui m'arrivait mais je n'en trouvais pas la raison. Je crus à un mauvais rhume, je me soignai tant bien que mal, évitai de parler et décidai de me reposer. Deux jours plus tard avait lieu une émission de radio sur RTL, avec Philippe Bouvard. Interview avec d'autres vedettes dont Serge Lama, et je m'entends peu à peu devenir muette. Je sens ma voix disparaître. Panique. Bouvard me demande de chanter, Lama voit ma terreur et commence à chanter avec

174

moi... Et je dois arrêter. Grâce à Philippe Bouvard, grâce à Serge qui est un formidable ami, l'incident passa pratiquement inaperçu du public qui assistait à l'enregistrement et probablement aussi à ceux branchés sur RTL... Mais n'échappa pas aux oreilles des amis à l'écoute. Ainsi, Odile Hazan sauta dans sa voiture. Elle vint me chercher et m'emmena directement chez un médecin. En route, l'angoisse me submergeait. Je commençai à pleurer, j'avais l'impression d'étouffer.

— Ne dis rien, répétait Odile, ça va passer. Avec le stress dans lequel tu te trouves, ça devait arriver. Mais ne t'inquiète pas, je te mets dans de bonnes mains.

Le médecin qui me reçut était allergologue, mais il avait aussi une solide formation psychiatrique. Je passai deux heures chez lui. Tout ce que j'avais enterré au plus profond de moi sortait, jaillissait. Il m'écoutait sans rien dire. Puis il me prescrivit deux ou trois remèdes. Il ne paraissait pas affolé du tout :

— Vous avez besoin de repos, de calme. Vous avez pris la bonne décision, ne vous angoissez pas à l'idée de l'appliquer.

Nous devions dîner au Timgad ce soir-là avec les Hazan.

— Allez donc avec vos amis, dit le docteur, et ne pensez pas à votre régime pour une fois. Laissez-vous aller.

Je me laissai donc aller. Ma voix n'était pas revenue totalement mais je pouvais parler un peu. J'étais horriblement enrouée. Ce fut ainsi que je décidai définitivement de me séparer de Georges, prenant tout à ma charge. Mais avant de l'annoncer officiellement, je m'arrêtai presque un an : pendant l'année 73-74, je ne fis pas de disque, pratiquement aucun gala ni de télévision. Je restais à Genève, brisée de fatigue, démoralisée et déstabilisée. Si mon mari n'était plus mon mari, il ne me restait que mon métier. Et même cette carrière que l'on pouvait désormais juger prestigieuse ne me consolait pas de cet échec.

Cette année-là, j'ai fait beaucoup d'allers et retours en Grèce pour voir mes parents et ma sœur. Je n'espérais pas nouer un dialogue qui n'a jamais vraiment été possible, mais j'avais besoin de leur amour et, comme un enfant, de me sentir entourée, épaulée. J'en avais besoin aussi pour pouvoir le transmettre à mes enfants. Je me sentais trop seule, trop démunie pour leur en donner suffisamment, moi toute seule. Je sentais bien que ni papa ni maman ne comprenaient réellement ce qui m'arrivait, sinon que mon mariage était en train de se briser. Ils craignaient cela plus que tout. Je voyais ma mère déjà faible et anxieuse se tourmenter. Mais je n'y pouvais rien. Est-ce le hasard ? J'ai divorcé à quarante ans. Je suis venue voir maman, spécialement pour le lui annoncer avant la presse. Elle s'abandonnait, elle n'avait plus envie de vivre. Mais pouvais-je la laisser dans l'ignorance ?

« Je ne vais plus oser sortir » fut sa seule réaction.

Je tentai de parler avec elle. Je me retrouvai en train de me justifier. Ce qui m'exaspéra : je n'étais pas la seule en cause. Je quittai ma mère mal à l'aise, misérable et en même temps furieuse. Parfois la colère est un bon remède.

En effet, de retour à Genève, j'ai commencé à

réagir : les enfants voyaient leur père s'éloigner, moi j'étais seule. Plus de famille, plus de couple, j'ai eu envie de construire quelque chose par réaction contre cette destruction : construire, littéralement. Je voulais un nouveau toit pour Nicolas, Hélène, Fernande et moi qui représente un recommencement, une manière d'éprouver ma force personnelle, de m'affirmer moi, Nana, la femme, la mère, pas la chanteuse qui, elle, avait déjà fait ses preuves.

Un ami suisse, Gugg, m'a aidé à trouver un terrain à dix kilomètres d'Aigle, à Villars, au-dessus de Montreux, et nous avons construit avec Fernande qui était devenue Féfé pour nous un petit chalet. Je ne dis pas que ça nous a sauvés, mais je me souviens du visage des enfants si heureux lorsque nous venions voir les progrès de la maison. Ils jouaient à transporter les pierres, à les empiler, ils jouaient à construire notre maison. Elle serait pour toujours notre maison et, aujourd'hui qu'ils sont tous deux grands, presque adultes, ils y vont souvent avec leurs amis. Quand ce chalet fut achevé, nous fîmes une fête, puis je revins à Paris. Je me sentais très forte. Je décidai que les deux premières personnes à qui je devais absolument parler de mon divorce étaient Odile Hazan et André. Après tout, il y avait une certaine logique : il était mon directeur artistique, et Georges avec les Athéniens était mon accompagnateur unique à l'époque, cela signifiait une révision complète de mon équipe musicale. Mais, je le savais, j'avais besoin de l'avis d'André parce qu'il comptait pour moi, un point c'est tout.

Depuis dix ans, André Chapelle s'était révélé un

directeur artistique excellent en tout. Aujourd'hui, sa présence dans ma vie se confond tellement avec ma carrière et ma vie privée que, lorsque j'en parle, je dis André tout simplement comme si la terre entière le connaissait. En réalité, s'il est dans la coulisse lorsque je suis sur scène, il incarne probablement l'homme qui m'a fait réussir.

Pour tout comprendre, un flash-back est nécessaire. Dans les années soixante, vers 1962 pour être précis, la musique française s'enregistrait dans le XIIIᵉ arrondissement de Paris au studio Blanqui. Il n'existe plus aujourd'hui, mais la régie et le studio ont vu défiler toute la musique française, de Claude François qui y a chanté *Belles, Belles Belles* à Georges Moustaki interprétant *Le Métèque* et créant la surprise avec « sa gueule de métèque » transformée en disque d'or ! Jacques Brel, Johnny Hallyday, Sheila ont enregistré avec lui. On chantait en direct avec l'orchestre entourant le chanteur et un magnétophone trois pistes... André était assistant au son dans ce studio. Et il m'a vue passer. Moi, j'étais la grosse chanteuse grecque un peu perdue parce qu'elle comprenait très mal le français. André — il me l'a raconté plus tard — m'a entendue chanter *Salva Me Dios,* et a pensé que j'étais une vraie voix.

J'ai fait mon premier enregistrement avec lui. C'était un album de chansons grecques. Lui découvrait cette musique et elle lui plaisait :

— Tu verras, tu auras le Prix du disque avec ton album, m'a-t-il dit.

J'ai cru qu'il plaisantait. Mais il faut se fier à l'avis des techniciens. J'ai eu le prix.

Je suis rentrée en Grèce et lui peu de temps après est passé au service artistique de Phonogram, ce qui lui donnait un petit bureau, rue Jenner. Moi, j'ai connu divers bonheurs avec mes directeurs artistiques : après Philippe Weill parti ailleurs, j'ai eu comme je l'ai dit Gérard Cotte, qui avait dirigé Gloria Lasso — à l'époque elle était déjà rétro... Même si je l'admire beaucoup, je n'avais pas du tout envie de chanter dans sa catégorie. Ensuite, Claude Dejacques l'a remplacé, et qui avait-il comme assistant ? André Chapelle. Alors Louis Hazan m'a proposé sa collaboration. J'ai pensé : « Mon Dieu, il est trop jeune, il ne voudra jamais travailler avec moi ! » En fait, beaucoup plus tard, j'ai appris que la demande émanait de lui.

La première chanson que nous avons produite ensemble fut *L'Enfant au tambour :* un succès. Ensuite, de retour des Etats-Unis, ce fut *Farewell Angelina*. Pierre Delanoë avait déjà écrit les paroles, il adapta aussi à la demande d'André *Feelin' Groovy*, de Simon et Garfunkel, qui devint *C'est bon la vie.* Ce disque comportait aussi deux autres titres, un de Tom Jones, *Green Green Grass of Home, Le Toit de ma maison* et *Qu'il fait beau, quel soleil,* de Jos Baselli et Michel Jourdan. André dit que j'ai des facilités ahurissantes : je mémorise très facilement un texte et j'ai l'oreille absolue. Je crois que c'est un don du ciel, je n'y ai aucun mérite.

Nous avons donc enregistré ce disque avec un grand orchestre en une semaine... J'ai eu quoi qu'il en soit quelques difficultés avec les paroles d'*Adieu Angelina :* « Les cloches de la couronne ont été volées à l'aube, je les entends qui sonnent... » Albert Raisner, le pape des Top 50 de l'époque, producteur d'une émission télé en prime-time, « Age tendre et Tête de bois », ne fut pas tendre et resta même de bois en entendant *Angelina*. Louis Hazan fut perplexe. Et puis, ainsi que je l'ai déjà raconté, je la chantai à Antibes pour la Rose d'or et là, comme dit André, « j'ai emporté le morceau ». Dans la même année, André m'a fait faire mon premier album, « Le jour où la colombe », et j'ai pris la route avec les Athéniens pour ma tournée d'été. Avec lui, j'étais si bien partie que je n'aurais vu aucune raison de changer de directeur artistique, à moins que lui ne se lasse.

Or, en dix ans de collaboration, il ne m'avait jamais fait défaut : il était le complice discret et souriant d'une existence vouée au métier. Mieux, je dirai tout simplement : un ange gardien qui savait toujours l'heure de l'avion pour venir me chercher ou m'accompagner, même à cinq heures du matin. Il savait que lors de mes retours de Genève, j'étais toujours un peu triste de laisser les enfants. Il venait me chercher une rose à la main parce qu'il y avait pensé. Il savait quand suggérer un nouveau style, une chanson différente. Nous pouvions parler des heures métier et musique sans nous lasser.

André fut donc le premier à qui j'annonçai ma séparation d'avec Georges, ce dont il se doutait depuis longtemps bien entendu. Il ne dit rien, se montra attentif, plus qu'avant mais sans rien manifester. Moi, chaque fois que je le retrouvais, un sentiment de sécurité m'envahissait. Je commençai à penser sérieusement que cet homme qui cheminait depuis si long-temps à mes côtés devait bien être le plus important.

André est un personnage particulier dans ce métier où l'on raconte tout à tout bout de champ et à n'importe qui : il ne laissait rien transparaître de sa vie privée... On savait qu'il disparaissait tous les week-ends pour aller chiner aux Puces ou en Bour-gogne, où il possède une maison — ce qu'il continue de faire aujourd'hui —, et il prenait un mois de vacances l'été. Pour le reste, sa disponibilité demeu-rait totale. Peu à peu, il apparut qu'il s'occupait de plus en plus exclusivement de moi, j'accaparais tout son temps, il faut bien le dire.

Et lorsque je revins en 1975, après un an de silence, prête à me remettre au travail, André m'avait atten-due. Il ne nous fallut pas longtemps pour nous rendre compte que notre complicité professionnelle devenue une tendre amitié était maintenant de l'amour. Il s'était installé sans que nous y prenions garde, mais il existait. Et moi qui suis une vraie sentimentale, qui ai toujours rêvé d'un grand amour, je l'ai trouvé à côté de moi. Nous avons un peu attendu, puis André ne m'a plus quittée. Il avait toujours été avec moi, simplement, je n'en étais peut-être pas consciente.

Voilà près de quinze ans que ça dure, et rien ne change. Il reste ce directeur artistique rigoureux et sévère que rien n'entame, ni star system, ni argent. Il a l'esprit clair et précis, il sait parfaitement ce qu'il veut pour nous deux et pour lui. Il est mon double : moi sur scène, lui dans la coulisse. Il est devenu mon producteur, et en quelque sorte mon manager. Mais c'est surtout et essentiellement l'homme de ma vie.

Avec André, ma vie a pris une nouvelle orientation. Je découvris que Georges avait souvent été, à la fin de notre mariage, comme un reproche. Je me freinais, je me restreignais. Parfois, il m'arrivait de refuser des choses parce que Georges pouvait m'en vouloir, croyais-je. Ce qui était bien entendu absurde. André me propulsa en avant : je n'avais plus rien à craindre, plus rien à redouter. Je pouvais foncer, tout oser, tout tenter. Ma vie professionnelle, lorsqu'il fit partie de ma vie privée, devint peut-être plus envahissante mais ne l'était-elle pas déjà ?

Je craignais plus que tout les réactions des enfants à cette existence faite d'apparitions et de disparitions de leur mère. Je tentais de leur donner le meilleur de moi, d'être présente autant que possible, mais il n'y a pas de doute, j'étais plus souvent absente qu'auprès d'eux. Je les tenais à l'écart de mon métier autant que possible : je n'aime pas l'idée que ma famille ou ma vie privée soient médiatisées comme on le voit trop souvent pour certains. Je fixai une fois pour toutes des barrières infranchissables dans mes relations avec la presse et je n'eus pas de problème. Mais Nicolas et Hélène comprenaient-ils ce que je faisais ? Comprenaient-ils surtout cette passion qui m'éloignait d'eux ?

Il est très facile pour une femme qui travaille de se culpabiliser parce qu'elle n'est pas avec ses enfants toute la journée. Pour moi, c'est pire : j'ai toujours été absente des semaines entières. Et j'avais le cœur serré d'entendre Fernande au téléphone m'annoncer joyeusement les bonnes notes de Nicolas ou les drôleries d'Hélène. Bien entendu je revenais pratiquement chaque week-end et je continue, mais nous savons tous que ce n'est pas toujours la même chose. Cependant, ma conviction demeure : la passion que j'ai pour mon métier m'épanouit, me rend heureuse et les petits l'ont toujours su. N'était-il pas préférable d'avoir une mère heureuse et gaie moins souvent qu'une femme triste et frustrée en permanence ? En ayant longtemps douté, il me fallait une sorte d'approbation, d'acceptation de cet état de fait de la part de mes deux enfants.

Je n'en aurais le cœur net, pensai-je, que le jour où ils me verraient sur scène. En janvier 1982, Nicolas avait 14 ans et Hélène 12 ans, ils possédaient tous deux assez de maturité pour assister au spectacle et se faire une idée juste de mon métier. Je choisis l'Olympia comme terrain d'expérience. J'y revenais pour la huitième fois. Cette salle est une de mes salles fétiches, comme pour beaucoup d'artistes qui y ont débuté et s'y sont fait un nom. L'Olympia représente tout à la fois mon succès en France et la chanson française. Je voulais très précisément qu'Hélène et Nicolas me voient là et pas dans une salle britannique, belge ou allemande, mais bien à Paris, ma plus difficile conquête. Je leur proposai donc de venir me rejoindre et d'assister à ma première. Ils furent enchantés à cette idée. Surtout, je crois, parce que, n'ayant été que très peu mêlés à ma vie professionnelle, le terme de première résonnait à leurs oreilles comme quelque chose de magique et d'exceptionnel.

Ils étaient donc au premier rang, ce 28 janvier 1982. J'avoue que, si rodée que puisse être une artiste, une mère a le cœur battant lorsqu'elle doit chanter devant un public au sein duquel elle sait devoir se trouver ses deux enfants adolescents, à peine sortis de l'enfance. Je chantai donc ce soir là pour eux. Je ne pouvais voir leurs visages, mais je sentais leur présence qui me donnait chaud au cœur.

Le dernier rappel expédié, ils me rejoignirent dans ma loge. J'avais l'impression d'avoir passé un concours, ou une audition. Ils arrivèrent rayonnants et Nicolas eut cette phrase exquise, que je conserve précieusement :

— Heureusement que tu chantes, maman, tu rends les gens si heureux. Je suis fier de toi.

Il me fit monter les larmes aux yeux d'émotion. Personne, jamais ne m'avait fait un aussi beau compliment. De ce jour-là, je me sentis plus sereine pendant mes absences : mes enfants savaient quelle voie je poursuivais et ils m'approuvaient.

Aujourd'hui, ils sont pratiquement adultes et me voient sans doute différemment. Je veux dire par là que si je m'arrêtais soudain, ils auraient du mal à comprendre et probablement s'inquiéteraient-ils de ma santé ! Moi je les regarde pousser et je les admire. Nicolas veut être graphiste et suit les cours d'une école américaine entre Vevey et Montreux ce qui lui permet de rester près de la maison. Hélène a longtemps hésité sur ce qu'elle voulait faire : architecture, art dramatique. Je me demande si elle ne voulait pas chanter à un moment donné, elle a une très jolie voix. Mais, finalement c'est le théâtre qui lui tient le plus à cœur. Elle est entrée au Conservatoire de Genève où elle suit non seulement des cours d'art dramatique mais aussi de danse, musique, histoire de l'art, anglais et allemand. Ensuite, elle entrera probablement dans une école d'art dramatique à Londres. Du moins c'est ce qu'elle souhaite.

Hélène a toujours eu un caractère audacieux, presque indomptable. Dire que je me retrouve en elle serait exagéré car elle m'éblouit, parfois je m'interroge : ce qu'elle ose faire, l'aurais-je osé moi-même ? Je l'ai entendue, voici plus de deux ans, passer plusieurs jours à téléphoner pour harceler la production d'un film que Robert Hossein tournait à Genève. Rien ne la décourageait : qu'on lui dise qu'il n'y avait rien, qu'on lui raccroche au nez. Peu importait, elle rappelait. Finalement, elle a obtenu d'être convoquée à la production. Et j'estime — même si finalement on n'avait pas de rôle à lui proposer — qu'elle a gagné une petite victoire.

Plus jeune, elle m'a aussi surprise. Je garde en mémoire cet épisode parce que ce jour-là j'ai découvert combien Hélène pouvait être à la fois courageuse et tenace. Voici quatre ans — elle était donc très jeune — elle se met en tête d'avoir un chien. Elle avait vu un husky dans un élevage et elle en voulait un, elle n'en démordait pas. Prières, discussions, pour finir je cède. Après les précautions d'usage :

— Un chien c'est comme une personne. Si tu l'adoptes, il va dépendre de toi pour des années. Tu es prête à cela ?

— Mais oui maman, d'ailleurs je vais l'acheter avec mes économies.

J'adore regarder ma fille quand elle a cet air sérieux avec ses yeux noisette et ses cheveux noirs. Donc nous voilà allant acheter le chien grâce à une petite annonce. C'était un joli petit husky, rond et chaud comme une boule de peluche. Le vendeur donne à Hélène un papier justifiant le pedigree du chien, son carnet de vaccination et nous revenons à la maison, Hélène ravie. Quelques jours plus tard, l'animal commence à se traîner, ne plus vouloir manger. Nous l'emmenons chez le vétérinaire :

— Il faut l'hospitaliser, il a la maladie des jeunes chiots, la maladie de Carré. Il aurait dû être vacciné.

Hélène sort les papiers, le médecin les examine attentivement tandis qu'elle, serrant son chiot dans ses bras, est de plus en plus défaite, au bord des larmes. Je la tiens contre moi, navrée de voir son chagrin, agacée par toute cette histoire : je n'aime pas voir mes enfants faire des bêtises mais découvrir qu'on a arnaqué ma petite fille, et aux sentiments en plus, ça me révolte.

— Les papiers sont faux, dit le médecin. Emmenez le chien à la clinique vétérinaire de Genève. Mais franchement je ne crois pas qu'on puisse faire grand-chose.

Nous avons passé huit jours pénibles, Hélène en larmes, rongée d'anxiété. Puis le chiot est mort. Alors ma petite fille s'est révoltée. Elle a cherché le vendeur, l'adresse qui figurait sur les papiers était fausse. Comment l'a-t-elle retrouvé ? Je n'en sais rien mais non seulement elle l'a déniché mais appelé. Et sur un ton sans réplique lui a expliqué que un, le pedigree était faux, deux, les vaccins aussi, trois, le chien était mort. Il fallait la rembourser. Et si besoin elle appellerait un avocat. Ce qu'elle a fait pour empêcher cet éleveur de faire souffrir des animaux.

Depuis j'ai une véritable admiration pour Hélène qui ne se laisse pas marcher sur les pieds. Je me dis que elle aussi parfois elle doit se jurer « Plus jamais ça » et poser les limites de sa liberté. Alors évidemment en elle je me retrouve, sans doute parce qu'une mère et une fille ont forcément une complicité. Et cette complicité que je n'ai pas eue avec ma mère, j'essaie de l'avoir sans forcer les choses avec Hélène. Mais j'avoue que pour elle, la vie n'est parfois pas simple. Etre la fille d'une vedette de la chanson peut être prodigieusement exaspérant. Ne serait-ce qu'à cause de notre ressemblance. Certes, entre Nicolas, Hélène et moi on retrouve le même sourire, les mêmes dents, la même bouche. Mais si Hélène a un visage plus allongé que le mien, il y a entre nous une indéniable ressemblance dans le regard et les yeux. Manifestement, sans jamais le dire, elle la redoutait. Au point de refuser de porter des lunettes pendant très longtemps — alors qu'elle est myope — et de préférer des lentilles de contact. Elle coupait ses cheveux noirs ultra courts, puis très longs noués en natte. Avec des lunettes, j'avoue qu'on ne peut nier notre air de famille au point que des gens l'arrêtent dans la rue et lui disent « Vous ne seriez pas... » puis ils réalisent sa jeunesse et s'excusent.

Elle commence peut-être à accepter nos traits communs. L'autre jour, elle m'a dit :

— Tu as vu mes cheveux coupés plus courts, c'est un peu comme toi.

Puis, elle s'est fait faire des lunettes. Avec une réflexion du genre :

— Il faut que mes yeux se reposent, les lentilles

tout le temps ce n'est pas très bon. Puis toi, tu as bien eu des lunettes toute ta vie, alors pourquoi pas moi ?

Elle a évoqué l'idée de leçons de chant « parce que c'est complémentaire du métier de comédienne », ce en quoi elle n'a pas tort. Elle me demande beaucoup de conseils sur la technique respiratoire. Et dans ce domaine, en effet, je peux réellement l'aider. Placer sa voix et régler son souffle, apprendre à respirer, je le fais depuis l'enfance, c'est instinctif chez moi. Hélène le sait bien et trouve chez moi un professeur prêt à tous les efforts. Son attitude nouvelle me rassure et m'encourage à l'aider. Comme un animal de race ombrageux et fort, elle n'aimait ni se limiter ni se dominer : à l'école si la maîtresse ne lui plaisait pas, elle refusait de travailler. Elle a un caractère entier et très volontaire. C'est à la fois une force et une faiblesse : si on ne peut pas toujours tomber dans les compromis, on doit savoir faire des concessions. Et je lui explique en douceur que lorsqu'elle aura à travailler au théâtre ou au cinéma, il s'agira d'un travail d'équipe à la discipline duquel elle devra se plier... même si la tête du patron ne lui revient pas. Elle le sait... elle progresse. Je regarde Lenou — c'est le petit surnom que Fernande lui a donné comme mes parents autrefois m'appelaient Nana — avancer dans la vie à la fois inquiète et attendrie, fière et heureuse. Parfois je rêve de voir son nom en grosses lettres de néon rouge...

Nicolas, lui, poursuit un bonhomme de chemin tout différent. La musique qu'il compose n'est qu'un amusement plutôt réussi. Avec le talent qu'il manifeste en dessin, il a tout pour devenir graphiste ou cinéaste, et probablement il réussira. Premier de sa classe pendant des années, il a traversé une période — noire pour moi — où il ne s'intéressait plus à rien en classe... Fini l'enseignement public, je l'ai mis dans une école privée en espérant des résultats. En fait, comme un coureur fait parfois une pause, il marquait le pas. Il s'est rattrapé tout d'un coup pour passer son dernier examen, l'équivalent du bac, en une année, là où il en fallait deux. Maintenant dans cette école de design, qu'il a choisie lui-même, il est heureux... Il travaillera aux Etats-Unis, en Angleterre, en France... Peu importe. L'essentiel est qu'ils s'épanouissent tous deux dans leur travail.

Mes deux enfants parlent quatre langues : français, anglais, allemand, et le grec un peu moins bien que les deux premières. Ils se sentent à l'aise partout, ils ont beaucoup voyagé avec moi dans leur petite enfance : Nicolas a fêté sa première année à New York, ses deux ans à Paris et Hélène ses quatre ans à Sydney. Ils n'ont pas le sentiment d'être citoyens d'une nation au sens étroit du terme. Ils se sentent un peu grecs, très européens et le monde leur appartient. J'ai vraiment l'impression quand je les écoute qu'ils représentent la génération du troisième millénaire. Mais ces mutants-là affirment que le bonheur selon eux c'est un feu de cheminée dans le chalet de Villars, un énorme plat de spaghettis cuits par Fernande et une longue discussion avec leur mère devant l'âtre... Rien que du classique tout de même.

XII

L'enlèvement

Ma vie de saltimbanque est finalement réglée comme la feuille de route d'un pilote de ligne : Paris, Genève, Londres, Toronto, Sydney, que sais-je... Ma compagnie n'est pas aérienne mais musicale. Et le personnage clef avant André en fut Louis Hazan. C'est pourquoi, il faut — même brièvement — s'arrêter sur lui ou plutôt sur ce couple exceptionnel qu'il forme avec Odile son épouse. Odile, je l'ai déjà évoquée : étant tout ce que je ne serai jamais, il était évident qu'elle devait me fasciner. Louis Hazan c'est tout autre chose : businessman raffiné et talentueux. Son influence a été déterminante plus que personne d'autre dans toute ma carrière. Je lui dois ma sortie de Grèce, mon succès européen, ma percée en disques aux Etats-Unis... et ma rencontre avec André. Ajoutons à cela qu'Odile, sa femme, a littéralement formé l'image que je possède aujourd'hui et vous comprendrez l'importance dans ma vie de ce couple Pygmalion. Louis et Odile Hazan furent jusqu'à récemment ma famille, mes parents. Je tutoyais Odile, je vous-soyais Louis qui me tutoyait. Autre image du père.

J'avais le sentiment de partager leur vie comme eux partageaient la mienne : premiers succès, divorce, chagrins, disques d'or... Ils étaient là. Et moi aussi pour eux dans les heures sombres.

Lorsque Louis Hazan fut enlevé, j'étais à Londres pour ma série de télévision. Je reçois tard dans la soirée un appel d'Odile :

— Peux-tu venir vite ? Vite. Maintenant.

Rien ne résiste à Odile, son charme est ravageur. Je l'ai vue à Venise obtenir pour moi de la direction de l'hôtel Danielli le déménagement d'une habituée de vingt ans parce que ses fenêtres donnaient sur la lagune et « qu'il fallait que j'aie la plus belle vue du monde » disait-elle. Elle réussissait à faire ouvrir un musée pour elle ou avancer une séance de cinéma. Ça, c'était Odile, capricieuse, généreuse, impulsive, autoritaire, merveilleusement fofolle. Mais ce soir-là, Odile sanglotait. Raison de plus pour réussir à attraper au vol le dernier avion pour Paris sans discuter.

J'arrivai très tard, sautai dans un taxi pour me précipiter rue de Montalembert. Odile en me voyant se jeta dans mes bras :

— Oh ! Nana, dit-elle. Louis a disparu.

Jacques Caillart et Roger Marouani étaient là. Louis avait été enlevé le matin même. Depuis le silence régnait. Très tard dans la nuit, presque à l'aube, le téléphone sonna. Odile prit l'appareil. Resta muette. Ce fut très bref. Quand elle raccrocha elle était livide :

— On l'a enlevé, réussit-elle à articuler.

Pourquoi enlever Louis Hazan ? Il avait de la fortune, certes, mais rien de comparable avec de grandes familles d'industriels par exemple. Je ne pouvais comprendre. Comme toujours dans ces cas-là, une voix anonyme demandait plusieurs dizaines de millions à déposer en liquide dans un endroit donné. Phonogram avait largement de quoi sauver son patron. Mais à voir les regards, à entendre les discussions je pris soudain conscience — simple observatrice comme je l'étais — que Louis Hazan pouvait aussi bien être assassiné. Odile devait être hantée par cette idée. Je demeurais une partie de la nuit à ses côtés. Ce fut un défilé ininterrompu d'amis embarrassés, inquiets, navrés... Mais que dire dans ces cas-là ?

Finalement j'allais dormir quelques heures au Montalembert, juste à côté. Le lendemain je revenais embrasser Odile. Elle n'avait pas fermé l'œil et malgré son énergie et son courage, je la sentais fragile. J'aurais voulu demeurer avec elle mais l'enregistrement d'une séquence était prévu dans l'après-midi à Londres, je devais partir.

Le suspense dura une semaine. J'appelais Odile plusieurs fois par jour. Aucune nouvelle ne filtrait. André, qui se reposait en Bourgogne, revint aussitôt qu'il eut appris l'enlèvement et me tint au courant. La police progressait sans nul doute mais demeurait parfaitement silencieuse. Enfin, il y eut un appel d'André.

— Viens, viens vite. Je crois que cette fois c'est grave.

Comme la semaine précédente, j'arrivais dans les heures qui suivirent. André m'attendait. Devant l'immeuble, un car de police, une foule de journalistes et de photographes planquaient. En me voyant, ce fut la ruée. Un détail me reste, inoubliable. Les paparazzi avaient bloqué l'ascenseur de telle manière que, obligée de monter à pied, toute personne se rendant chez les Hazan — au septième étage — empruntait l'escalier sous le feu roulant des questions et les flashes des photographes.

Je n'avais rien à dire et pour cause. Je le fis savoir vivement ce qui n'empêcha pas l'ascension de durer plusieurs minutes. Lorsque je pénétrai dans l'appartement, il régnait une singulière atmosphère de fièvre et de suspicion : la police était là. On interrogeait tous les proches, tous les amis. Pourquoi Odile avait-elle voulu que je sois là lorsque, Louis ayant été retrouvé, nous dûmes aller le chercher à la police, je ne l'ai jamais compris. Ce fut un cortège impressionnant : notre voiture, celle de la police et derrière nous quatre ou cinq voitures de presse fonçant sans hésiter à qui serait le premier pour tenir le scoop : la première photo de Louis Hazan.

Il paraissait amaigri mais plus calme et réservé que jamais. N'étaient les kilos en moins et ses traits tirés, on n'eût jamais dit qu'il venait de passer une semaine dans des conditions inhumaines d'enfermement, sans lumière, à peine nourri et ligoté en permanence. Nous sommes tous revenus chez eux. Là encore régnait une ambiance étrange, un malaise entre nous : l'expérience que venait de vivre Louis nous était si étrangère que nous ne pouvions rien partager avec lui sinon écouter son récit dont il se montra fort avare. En fait il était épuisé. A un moment donné, il me regarda et me dit :

194

— J'ai beaucoup pensé à toi. Tu dois t'affirmer plus.

Sa phrase m'étonna. Il ne manifestait pas à mon égard la même chaleur qu'avant. Je mis cela sur le compte de son épuisement et cette phrase incongrue, étant donné les circonstances, sur le compte de la surprise de me voir là. Mais plus tard, je devais comprendre.

Quelque temps avant j'avais eu un différend avec Louis. Le premier touchant à des problèmes de droits. Il devait en être beaucoup plus affecté qu'il ne l'avait paru. Et peut-être pressentait-il que j'allais quitter un jour Phonogram pour me produire moi-même. Inévitablement. Est-ce pour cela qu'aujourd'hui nous ne nous parlons plus ? Je l'ignore. Un jour, ce fut la rupture. Ou plutôt le silence. Un silence volontaire, une fermeture, un rideau tiré sur notre amitié. Une amitié si chaude, si essentielle pour moi qu'aujourd'hui encore cette rupture me laisse inconsolable.

La chance selon les Anciens est une grande et belle femme à l'opulente chevelure. Il ne faut pas craindre lorsqu'on la croise sur sa route de la saisir par les cheveux. Une fois qu'elle est passée, inutile de tenter de vous retourner : derrière, elle est chauve, plus de cheveux pour l'attraper. Moi, je crois que lorsqu'on a vraiment envie de quelque chose, non seulement on reconnaît la chance, mais en plus elle vous sourit au passage pour que vous ne puissiez vous tromper. Je peux l'affirmer sans risque d'erreur : j'ai toujours eu beaucoup de chance. Je ne suis pas — enfin pas trop — superstitieuse... Mais si je rappelle que je suis née

195

coiffée, un 13 octobre, que ma sœur et Nicolas sont également nés un 13 et qu'Hélène si je n'avais pas subi une césarienne avait rendez-vous avec moi le même jour, on ne peut plus s'étonner de rien.

Disons que la chance a pour moi le visage des amis, de tous ceux à qui je donne un grand coup de chapeau pour m'avoir fait confiance et m'avoir encouragée dans la voie que je m'étais tracée. Ainsi j'ai eu des collaborateurs proches ou lointains qui ont donné beaucoup de leur temps, de leur enthousiasme pour moi, d'autres qui ont senti chez moi la vérité et la sincérité que je veux à tout prix faire passer dans mes chansons. Je ne peux les citer tous : Jacques Caillart, André Asséo, Louis Nucera et puis Gérard Davoust... Et Georges Meyerstein-Maigret, le président-directeur général de Philips, que je me souviens avoir rencontré dans l'escalier de la rue Jenner. Je venais d'obtenir mon premier disque d'or, pour les ventes allemandes des *Roses blanches de Corfou*. Il m'arrêta : il avait vu les ventes. « Ah mon petit, c'est magnifique », me dit-il. Il en avait les larmes aux yeux de voir tous ces chiffres gonfler, gonfler... Et puis Roger Kreicher, l'ami fidèle, longtemps directeur de RTL, Monique Le Marcis et bien sûr — mais qui ne les connaît pas ? — Gilbert et Maritie Carpentier ! Ce sont eux qui m'ont proposée pour l'Eurovision en 1963. Ils étaient absolument convaincus que j'allais gagner, pas l'ombre d'un doute. Hélas, quelle déception ! Mon français était encore balbutiant, et *A force de prier,* ma chanson, passa mal. L'émission, dont la productrice s'appelait Yvonne Littlewood, se déroulait à Londres, en studio, sans public et l'ambiance manquait de chaleur. Bref ma prestation ne fut pas convaincante et je ne remportai pas le prix.

Ma mère avait coutume de dire : « Dieu ferme une petite porte pour en ouvrir une plus grande. » Au début des années 70, en tournée en Espagne, je reçois un coup de téléphone d'Yvonne qui entre-temps était devenue une amie proche même si nous ne nous voyions qu'irrégulièrement.

— Nana, j'ai décidé de faire une série d'émissions avec toi.

— Avec moi ? Mais qu'est-ce que je peux faire en Angleterre ? Tu crois qu'une série ce n'est pas un peu trop ?

— Pas du tout. Laisse-moi faire, tu verras.

De retour à Genève, un long message d'elle m'attendait. J'ai fait un saut à Londres. L'émission était construite autour de moi : j'animais et je recevais des invités chanteurs et acteurs souvent *nouveaux venus* ou grandes vedettes. Je pensais en faire un nombre limité. Pas du tout. L'émission a duré treize ans : tous les ans, une série de huit semaines à raison d'une soirée toutes les trois semaines. Ce fut un formidable défilé : les Beatles, Olivia Newton-Jones, Julio Iglesias, Judy Collins. C'était différent de tout ce que j'avais pu faire jusque-là et très amusant. En plus cette série fut diffusée un peu partout : Hollande, Irlande, Scandinavie, Canada, Afrique du Sud, Australie, jusqu'à Ceylan même. Et grâce à elle, j'ai obtenu mon premier disque d'or en Angleterre, où pourtant à cause de mon accent quelqu'un m'avait promis un insuccès total.

Lorsque j'enregistrais le show, j'entendis un jour le

directeur de Philips Londres dire à Louis Hazan :

— Je ne comprends pas que vous vous obstiniez à perdre votre temps avec cette fille. Elle ne réussira jamais ici, elle a un accent beaucoup trop fort.

Quelques mois plus tard, c'était lui très précisément qui me remettait le disque d'or.

— Comment ai-je pu plaire à tous ces gens ! lui demandai-je en prenant un air ingénu.

— Ce sont les mêmes qui adorent votre show et qui achètent vos disques. Et c'est inouï !

— C'est peut-être qu'ils aiment mon accent, répondis-je en le dévisageant.

— Vous avez beaucoup d'humour, observa-t-il.

— J'ai surtout de la mémoire, dis-je. Et sans attendre sa réponse, je me tournai en souriant vers la presse en serrant mon beau disque contre moi.

En 1965, mon contrat devait être reconduit sans changement mais très rapidement, nous nous apercevions que la gestion de mes disques aux Etats-Unis se passait mal. C'était assez compliqué et il fallait peut-être quelqu'un sur place... D'où une modification de mon contrat. Et deux rencontres : d'abord un très jeune promoteur canadien, Sam Gesser, que j'ai déjà cité, qui à ce moment-là a complètement pris en charge l'organisation de mes spectacles au Canada et aux Etats-Unis. Il a géré ma carrière sur scène en Amérique du Nord pendant des années avec une certaine efficacité. Aujourd'hui c'est un véritable ami.

Mais — autre visage de la chance — un imprésario américain, qui lui, en revanche, ne s'intéressait qu'aux divas, se toqua de moi. Sol Hurok avait en charge

Callas, Victoria de Los Angeles ou des pianistes...
Bref pas du tout mon univers. Or un jour, il m'entend
par hasard et ma voix lui plaît. Il s'est mis en tête de
s'occuper de moi. C'était un homme assez âgé, très
élégant,qui ressemblait vaguement à Charlie Chaplin
— pas Charlot, Chaplin ! Il était redouté de tous ses
collaborateurs, et avait un défaut : il était un incorrigi-
ble bavard. « Je voudrais parler avec vous » signifiait
en général chez lui « Je voudrais vous parler ». A ma
grande surprise, lorsque je suis passée à Los Angeles
ou à New York au Carnegie Hall, il est venu m'entendre. Il ne s'intéressait pas du tout à la musique
populaire, avait-il expliqué, mais celle qu'il découvrait
à travers ma voix lui plaisait infiniment.

— Quel dommage, disait-il chaque fois que nous
nous voyions, que je ne vous aie pas connue plus tôt.
J'aurais pris en main votre carrière et elle serait
magnifique.

Comme il restait frustré de cette rencontre ratée, il
a chargé son bureau d'organiser mes tournées américaines.

Ainsi s'ouvrirent pour moi les portes d'un univers
plutôt consacré au classique, des salles et même des
spectateurs inattendus pour moi se révélèrent grâce à
lui. Je chantais au Lincoln Center à New York ou au
centre Kennedy à Washington, des endroits plutôt
fréquentés par les artistes classiques ou des compositeurs de musique contemporaine... Il disait volontiers
avec une certaine malice :

— J'aimerais avoir à travailler avec des divas
d'opéra qui peuvent chanter six jours sur six, qui ne
prennent pas de congés, qui ne font pas de caprices

et restent sur scène trois heures sans se plaindre.

Et là-dessus, m'ayant accablée de compliments, il m'emmenait déjeuner — il n'aimait guère dîner tard le soir, cela le fatiguait — et me racontait sa vie ou m'interrogeait sur ma musique, pourquoi j'avais choisi tel air, et d'où était tiré celui-ci et comment on avait bien pu harmoniser tel air avec des bouzoukis. Il était curieux et amusant. J'aimais ces déjeuners pleins de piquant et d'élégance, où ce vieux monsieur qui n'attendait rien de moi me donnait mille conseils sans en avoir l'air et finalement avec une délicatesse parfaite me guidait sur le chemin du succès. Souvent, à la fin du repas, il m'offrait un petit paquet. Invariablement j'y trouvais un flacon de Chanel n° 5. Avec le recul, je crois que ce fut un des hommes les plus influents sur ma carrière aux Etats-Unis parce qu'il me fit tout à la fois découvrir un autre monde que celui exclusif du show-business et qu'il s'occupa très efficacement de mes spectacles.

Ma progression est semée de ce type de rencontres.

Est-ce la chance ? A partir d'un moment donné, il est vrai le succès appelle le succès et j'ai largement bénéficié de cette magie. Là encore, je ne sais comment je dois appeler ça. De la chance ? ou un enchaînement logique de circonstances. Toujours est-il qu'avec des prestations de ce type, qu'il s'agisse des concerts à New York ou Washington ou des émissions sur la BBC, mon image à l'étranger était singulièrement plus forte, plus large qu'en France où je restais « la chanteuse grecque à lunettes », si bonne soit la chanteuse, si bon soit son répertoire.

Pourtant en France, je ne changeai rien à mon organisation à Phonogram jusqu'en 1978, où je décidai de chanter en me produisant moi-même avec André. Je jugeais le moment venu pour que ma production m'appartienne en propre, risques compris. Quelque temps auparavant, j'avais eu un petit froid avec Louis Hazan. Rien de bien grave : il m'avait toujours dit « Signe là » et je signais là. Je touchais assez d'argent pour ne pas discuter. Puis un jour je m'avisai au cours d'une télévision en Angleterre que l'on prévoyait une compilation de toutes mes chansons pour la télévision. J'étais contre l'idée. Mais, contrat oblige : Phonogram avait tous les droits. Je le dis à Louis Hazan. Il me fit une réponse évasive. Je sentis au ton, à sa manière de répondre, que je l'avais littéralement offusqué... Si Nana, la chanteuse comblée, se mettait à réclamer, où allait-on ? Oui, le moment était venu pour moi de prendre mon essor et de voler de mes propres ailes. La chose pouvait paraître difficile avec un si grand répertoire dans plusieurs pays et diverses langues.

J'ai toujours eu horreur de signer des contrats. Je l'ai dit et le répète. Un contrat, c'est déjà une rupture. Et j'ai des expériences pour le prouver. Les deux premiers ne valaient rien. J'en fis mon affaire assez facilement. Ensuite, je signai mon premier contrat avec Phonogram en 1961. Un contrat de cinq ans en bonne et due forme. Là, pourrait-on penser, pas de problèmes. Si ! A l'époque je n'étais pas encore installée en Suisse, et je naviguais entre France, Allemagne et Grèce. Lorsque je me trouvais à Athènes, j'aurais souhaité travailler avec Hadjidakis, enregistrer un disque, continuer dans la veine qui m'avait vue débuter avec lui. Mais lui était sous contrat EMI et non plus chez Fidelity, qui eux appartenaient à Philips... Manos aurait aussi bien pu composer aux antipodes : nos deux contrats nous séparaient plus sûrement que toutes les distances. Même en adaptant ses chansons, en les chantant à ma façon, il n'en était pas question. Là-dessus Manos se montrait aussi réticent que nos maisons de disques respectives. A cette époque, j'ai donc enregistré essentiellement en France mais jamais en Grèce, mon propre pays. Lorsque je m'y trouvais, je n'avais strictement rien à faire sinon quelques galas par-ci par-là, ce que je trouvais dérisoire. Rien de tout ceci ne pouvait durer et je suis partie aux Etats-Unis mais... je n'ai enregistré un disque en Grèce que plus de vingt-cinq ans plus tard, en retrouvant Manos Hadjidakis en 1988 !

Quoi qu'il en soit j'ai créé ma propre production de disques que distribue Phonogram. Et voici bientôt trente ans que je suis artiste chez Phonogram-Philips dans le monde. Les enregistrements qui se succèdent très régulièrement, les tournées, les galas et les promotions sont le travail d'une équipe de collaborateurs et d'amis. André centralise toutes les productions, Gérard Davoust dirige les éditions et nous aide à démêler les contrats parfois complexes.

Quant aux enregistrements en studio, ce sont parmi les moments les plus passionnants du métier. Il se produit là une tout autre création que sur scène. L'émotion ne se dissout pas dans la salle, elle se grave sur un sillon.

Depuis de nombreuses années, un ingénieur du son, Roland Guillotel, un des meilleurs du monde, qui possède son propre studio, a enregistré ma voix dans toutes les langues. C'est lui qui réalise, avec la collaboration d'André, l'enregistrement et le mixage de mes disques. Discret et génial technicien tout autant qu'artiste, il est avec André celui qui connaît le mieux ma voix et ses possibilités. Et aussi les difficultés lorsque je rencontre une phrase en français parfaitement orthodoxe !

Avec Roland, d'autres amis fidèles, Alain Goraguer et Roger Loubet, sont mes arrangeurs, qui mènent la musique de base d'une chanson à sa composition avec orchestre. C'est ma petite famille musicale qui a remplacé mon premier groupe avec Georges et les Athéniens.

Donc, comme on le comprend, le système de l'entreprise se base sur une petite équipe d'amis fidèles de longue date qui finissent par fonctionner en synergie sans avoir besoin d'expliquer longtemps les choses. Il n'en demeure pas moins que la coordination de l'ensemble revient à André et que c'est un travail énorme. Je suis toujours étonnée de voir ce calme dont il ne se départ jamais. Parfois, une ride barre son front pendant quelques instants... C'est à peu près la seule manifestation de colère, de mécontentement ou d'insatisfaction — comment savoir la nuance ? — que je reconnaisse chez lui. Lui affirme en riant que s'il était un nerveux, ou un angoissé, il n'aurait pas vécu si longtemps avec moi... Grâce à lui, notre organisation roule à merveille et fort. C'est vrai, nous vivons entre deux valises et prenons l'avion comme un taxi. Mais le monde entier est devenu pour moi de gigantesques coulisses qui débouchent sur des scènes : en Hollande un jour, en Espagne un soir, en Corée le surlendemain et deux nuits plus tard à Sydney ou San Francisco... Qu'importe ? Nous sommes ensemble le plus clair de notre temps, je chante devant un public qui m'aime, un public de plus en plus vaste et de plus en plus enthousiaste. Peu à peu, la barrière des langues s'abolit. Au fur et à mesure que passent les années et les kilomètres, j'ai l'impression que ce public est toujours différent et pourtant toujours le même. Est-ce le besoin d'amour et de tendresse identique partout qui le rapproche de moi ? Je l'ignore. En tout cas il justifie totalement la vie que je mène. Une vie en grande partie vouée à la scène et à la chanson.

J'ai eu ainsi l'occasion de rencontrer des gens extraordinaires et même de lier amitié avec certains. Je me souviens par exemple d'une soirée organisée au palais de l'Elysée. De nombreux artistes avaient été conviés comme moi par le général de Gaulle qui recevait le Shah d'Iran et Farah Diba. Quelle émotion pour moi de chanter devant le Général et l'Impératrice. Nouée de trac, fagotée dans la robe que je portais au festival de Barcelone, je n'ai pas senti le temps passer et les quatre chansons que l'on m'avait demandé d'interpréter me parurent plus brèves qu'à l'ordinaire. Quand éclatèrent les applaudissements, ce fut comme si je sortais d'un rêve dans lequel je replongeai aussitôt lorsque mes hôtes me félicitèrent. Elle surtout qui me dit de sa voix mélodieuse qu'elle aimait beaucoup la Grèce et mes chansons.

Quelques années plus tard, Constantin, le roi de

Grèce, m'a invitée à chanter pour l'anniversaire de la reine Anne-Marie et de leur fille Alexia. Jamais de ma vie je n'avais vu autant de têtes couronnées. Dès qu'elle me vit, Farah Diba traversa le grand salon, me prit dans ses bras, m'embrassa et me redit encore le plaisir qu'elle éprouvait à m'écouter. Fête inoubliable qui se prolongea par un fastueux dîner : j'étais à la table du roi, assise à côté de l'ex-impératrice, en compagnie de la reine Elisabeth, de Juan Carlos, roi d'Espagne, du prince Michel de Grèce, de l'ambassadeur des Etats-Unis et de Fergy, la petite fiancée du prince Andrew. De son côté, André dînait à la même table que la glamourous lady Di.

Le prince Constantin, que j'ai connu en Grèce dans les années 60, m'a invitée à chanter devant un public trié sur le volet au palais royal de Copenhague. Et le lendemain, changement de décor, je chantais à la fête de l'Humanité, devant un public populaire : deux cent mille spectateurs assis par terre... Les aléas et les surprises de la vie d'artiste !

Mais la vie d'artiste justement c'est aussi et surtout les copains, mieux — car c'est exceptionnel — les amis. Je ne suis pas près d'oublier les heures passées en compagnie de Michel Legrand, ce musicien de génie. Il m'avait proposé d'enregistrer avec lui un album de duos. Nous nous attaquâmes aux *Parapluies de Cherbourg,* et à *L'Enfant au Tambour,* une des bases de mon répertoire. Ensuite ce fut *Quand on s'aime.* Mais hélas, nos emplois du temps chargés devinrent de plus en plus incompatibles et nous en sommes restés là.

A cette même époque, nous nous régalions à refaire

le monde en musique, un monde meilleur, libre et plein d'amour. Des nuits entières avec Michel Legrand, Eddie Marnay, André Asséo, Louis Nucera, Gérard Davoust, et le peintre Raymond Moretti, nous avons ri et chanté, débordants d'optimisme. La chance me comblait : je trouvais chez ces amis toujours plus de force et d'énergie pour chanter.

Parler de ceux qu'on aime est-ce possible ? Evoquer le pourquoi, le comment ? L'amour, je le chante : *Ce n'est pas un oiseau qu'on met en cage.* Pour moi c'est un aigle symbole de grâce et de liberté, ou encore un phénix, éternel recommencement, éternelle jeunesse. L'amour a tous les visages : père mère, enfants, compagnon mais aussi patrie, foi...

Aussi je puis dire que dans ma vie mes amis ont compté plus que les gens du métier. Ma carrière repose sur l'amitié essentiellement. Alors quand je dis ce mot je vois des visages : Dario Moreno tendre et jovial, Serge Lama, l'ami idéal. Nous avons mille choses en commun dont une chanson : *Que je sois un ange* qui me tient à cœur et qu'il aurait pu écrire pour lui. Serge c'est l'honnêteté, l'intelligence et en même temps la fragilité et la vulnérabilité. Il ne porte pas de masque.

De vrais amis, j'en compte peu, mais j'en ai dans le monde entier. Ainsi Fritz Raü, mon impresario pour l'Allemagne, l'Angleterre et quelques autres pays. Fritz Raü est un homme que j'aime beaucoup et, plus encore, que j'admire ! Il a commencé à travailler avec moi en 1972 au moment où, dans son pays, je connaissais un léger creux. Avec acharnement, nous avons joué dans de petites salles, puis de plus grandes puis dans des palais des sports combles. Fritz est un homme qui connaît admirablement son métier et sait prendre des risques. La première fois que je l'ai rencontré, je lui ai été présentée par un producteur anglais extraordinaire, Robert Patterson. Un autre ami. C'est lui qui m'a emmenée en Australie et au Japon où il travaillait avec David Frost. En Australie, j'ai été reçue comme une reine. Où que j'aille, des centaines de photographes, des cameramen de télévision, des journalistes m'attendaient. Dans les hôtels, mes enfants qui m'accompagnaient trouvaient sur leurs lits des monceaux de jouets. Un soir, à l'Opéra de Sydney, j'ai cru que le plafond allait s'écrouler sur nous : les applaudissements et les cris étaient tels que nous avons tous pensé devenir sourds. Un autre soir, à Christchurch, j'ai trouvé dans ma loge un télégramme qui m'était adressé par l'équipe d'une station d'observation du pôle Sud. Il disait à peu près : « Bienvenue, Nana. Nous sommes heureux de savoir que tu chantes ce soir à guère plus de trois heures de vol de nous ! » Enfin, je ne puis oublier la joie de ma fille quand, le jour de ses quatre ans, Andrew Miller, le road-manager de l'époque, lui a apporté un petit kangourou !

Mais la vie d'artiste a aussi ses revers. Et dans le métier, on ne se fait pas que des amis. J'en ai eu la douloureuse expérience un soir de gala à Cannes en 1969. Depuis l'Olympia, mon étoile montait et je devais chanter au gala de clôture.

Pourtant je me revois paniquée, ne pouvant me décider à quitter mon hôtel. André Asséo, fidèle ami, m'avait accompagnée.

Devant le Palais des Festivals, j'avais un trac fou. Je tentai de m'extraire de la limousine le plus élégamment possible et de me diriger vers l'escalier sans trébucher. Dans ces cas-là, ma panique est double : marcher sur l'ourlet de ma robe longue et perdre mes lunettes. La foule des grands jours se pressait derrière les barrières : « Nana, Nana ! » On me reconnaissait. Les flashes crépitèrent, le public applaudit, les photographes criaient « Nana, un sourire, par ici ! Par là ! Tournez-vous, merci, encore... » Des mains me tendaient des bouts de papier pour un autographe, d'autres essayaient simplement de me toucher. Mon entrée fut triomphale, la suite le fut beaucoup moins.

Juste avant la proclamation du palmarès, je devais chanter quatre chansons : *Les parapluies de Cherbourg,* évidemment, *Try to remember* pour ne pas oublier nos amis étrangers, et deux chansons grecques.

J'avais à peine commencé à chanter qu'au troisième rang se lève une belle femme brune qui hurle quelque chose d'incompréhensible. Je m'arrête interdite : Irène Papas, une des interprètes de *Z,* le film en compétition, criait :

— Chante Theodorakis !

— Chante Theodorakis, reprirent en chœur trois furies assises à ses côtés.

Nous étions face à face, nous défiant du regard. Deux Grecques à l'œil noir, s'affrontant sous le regard du gratin du cinéma mondial, trois mille professionnels qui ne comprenaient goutte à cette empoignade devant les caméras de télévision du monde entier. Je ne sais où j'ai trouvé la force de répliquer :

Mon premier disque en France ne
portait pas ma photo. Je pense que
c'était parce que j'étais horrible à voir.

Je dois énormément à Harry Belafonte qui m'a vraiment donné
le goût de la scène.

C'est Jean-Claude Brialy qui
m'a accueillie et présentée à
la Rose d'Or d'Antibes. Ce
fut un triomphe et pour la
première fois j'ai senti les
gens du métier me dire
« Bienvenue dans la
famille ».

Manos Adjidakis
(ci-contre en haut) est un
musicien au talent immense.
C'est lui qui a fait revivre la
musique grecque. C'est à lui,
encore, que je dois
quelques-unes de mes plus
belles mélodies.

Nikos Gatsos *(ci-contre)*
est un des plus grands
poètes grecs, dont
nombre de textes ont été
mis en musique.

« Tu verras,
m'avait dit André,
tu auras le Grand Prix
du disque avec cet album ! »
Et quelques mois plus tard,
avec Sheila et Claude
François, j'étais récompensée.

Quelle plus grande
récompense pour une artiste
que de se voir
décerner un disque d'or !
Et avec ce tels parrains :
à ma droite Louis Hazan,
le Pdg de Phonogram ;
à ma gauche André Chapelle,
alors mon directeur artistique.

Mon premier voyage à
New York fut pour aller
enregistrer un disque
sous la direction
de Quincy Jones.

Les émissions de
télévision sont
aussi l'occasion,
pour nous les
artistes, de nous
retrouver. Ainsi,
ici avec Julio
Iglesias et Serge
Lama sur le
plateau de
Numéro Un des
Carpentier.

Quel chemin
parcouru depuis
cette photo prise à
l'aéroport
d'Athènes alors
que, pour la
première fois, je
me rendais en
France. Pour
Charles Aznavour,
qui faisait une
tournée, j'étais
totalement
inconnue…

Heureuse
rencontre avec
Bob Dylan.
C'était à
Dortmund, nos
tournées
respectives se sont
croisées. Nous
nous sommes
connus à New York
dans les années
soixante.

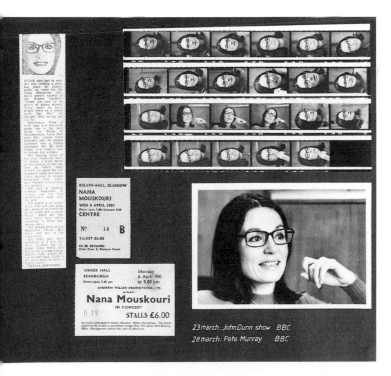

Comment ne pas
rendre grâce à ce
groupe de femmes
flamandes qui,
depuis plus de
vingt ans, me
suivent, parfois au
bout du monde et,
avec une patience
d'abeille,
constituent de gros
albums qu'elles
m'offrent
régulièrement !

La première fois que j'ai rencontré Georges Brassens, c'était
à l'Olympia en 1962. Je passais en première partie. Il avait
dit à Paulette Coquatrix : « Elle va aller loin, cette
Grecque-là ! » J'ai eu d'autres occasions de le revoir comme
au cours de cette émission de télévision pour Noël.

Michel Legrand au
piano... et le miracle,
toujours, s'accomplit.
A cette époque, nous
avions entrepris
d'enregistrer,
ensemble, un disque.
Nos emplois du temps
respectifs nous ont
empêchés de le finir.

Les fêtes sont nombreuses chez les artistes. Surtout lorsque l'un de nous fait un gala. Alors, la famille se réunit pour l'applaudir. Ici, me voici en compagnie d'Hervé Vilar et de Dalida.

Joan Baez, cette année-là, fit un grand Olympia. Le soir de la première, avec Melina Mercouri, je suis allée la féliciter.

Pour une Grecque, la danse fait partie de la vie, presque autant que la musique.

et je rêve encore.

— J'ai été invitée à chanter ici ce soir. Si ce n'est pas ce que vous espériez, je regrette. Je suis prête à vous céder la place devant le micro.

Mais le public s'énervait :

— Chante Nana, chante, criait la salle.

Elle est retombée sur son fauteuil, le silence est revenu, la musique a repris ses droits. Je dois avouer que ce soir-là, pour la première fois de ma vie, chanter ne m'a pas fait plaisir. Un goût amer me desséchait la bouche. J'ai quitté la scène en retenant difficilement mes sanglots. Je n'arrivais pas à comprendre comment une artiste, compatriote de surcroît, pouvait avoir un semblable comportement. Aujourd'hui encore ce souvenir me trouble.

Au cours du dîner de gala qui suivit, elle vint à ma table, escortée de photographes, me prit dans ses bras et s'excusa :

— Il le fallait. Pour la cause. Quoi que tu chantes, il fallait marquer le coup. Ne m'en veux pas.

Une fois encore la politique semait la perturbation dans la famille. La famille du spectacle cette fois. Je respecte les opinions de tous et toutes mais je refuse qu'on limite ma liberté d'artiste et de femme au nom précisément de la liberté. Un peu de respect pour la liberté !

La vie d'artiste c'est aussi, de temps à autre, les corvées. Je ne suis pas une mondaine. Les soirées guindées, je l'avoue, m'ennuient. Je suis timide, sauvage même, et le côté paillettes et strass du métier ne me séduit pas. Je limite donc mes sorties aux obligations, aux soirées de bienfaisance ou aux dîners inévitables parce que certains amis que j'aime — en dehors du métier — ne comprendraient pas. Mais c'est parfois la corvée, je l'avoue. En général, s'il s'agit de gens en dehors du show-business, je suis instantanément traitée comme la bête curieuse. Le gentil monstre qu'on exhibe en attraction et à qui on pose les questions les plus saugrenues sur son travail :

— Comment chantez-vous cette chanson, vous savez *Nabucco,* enfin vous voyez ce que je veux dire ?

— Oui, oui. Je vois. (Là, je me mets sur la réserve. Comment expliquer ça ? Je ne vais pas me mettre à détailler l'arrangement... J'essaie d'esquiver.)

— Vous avez dû beaucoup répéter...

— (Moi de plus en plus réservée) Oui, oui.

— Et les tournées ? Ce n'est pas trop fatigant ?

— Oh non. Je suis habituée.

— Quand même tous ces avions...

— C'est mon métier (soupir).

— Et les disques ? Ça se passe comment ?

— Vous mettez combien de temps à enregistrer un disque ?

— Deux jours à une semaine.

— Si peu, mais ça doit être assez simple...

Quand on en arrive là, je ne dis plus rien. Sans vouloir être prétentieuse, je me demande toujours à ce moment-là comment réagirait un chirurgien du cœur qui, disant qu'il met cinq heures pour opérer, s'entendrait répondre :

— En si peu de temps, ça doit être facile alors !

La majorité des gens prennent notre métier pour une vaste fantaisie. « Ah vous qui êtes une artiste » peut signifier soit qu'on est sensible et qu'on peut comprendre les soucis et les peines de votre interlocuteur(trice) qu'il (elle) va vous raconter par le menu instantanément, ou bien que vous menez une vie de bâton de chaise, terriblement privilégiée. Pour que l'on vous prenne au sérieux il faut sortir des chiffres :

— Mon dernier album ? J'en ai vendu un million et demi d'exemplaires, je ne compte pas là-dedans les disques-compacts. (A dire avec le sourire modeste, évidemment.)

— Ah ? Ça fait combien de dollars ?

— Je ne sais pas mais en francs ça donne plus de 150 millions de francs.

Là soudain, un fossé se creuse. Il n'y a plus d'artiste, il y a une dame qui doit être milliardaire.

En général, je ne laisse pas la conversation s'égarer aussi loin, je prétexte le soin que je prends de ma voix pour m'éclipser le plus prestement possible.

En plus il n'est rien de plus vrai. Je suis de plus en plus obligée de faire attention à ma voix, à la protéger. Autrefois, débutante à Athènes, je chantais toute la nuit, dans des tavernes envahies de fumées. Je malmenais ma voix, sans égard pour elle. Aujourd'hui, je la respecte et je l'entretiens. Je ne fais pas toujours de gammes, je ne m'entraîne plus comme je l'ai fait un temps mais il y a une certaine discipline à respecter si l'on veut être toujours prêt à chanter d'un jour sur l'autre en passant d'un avion à un autre. Je dors beaucoup, je parle peu avant un concert important. En revanche je chauffe ma voix avant chaque concert, du moins quand je le peux, en répétant avec les musiciens.

J'ai une drôle de voix. Je le sais. Jenny, ma sœur, possédait un contralto superbe, une voix infiniment plus belle que moi mais elle n'avait pas envie de chanter. Dommage pour la musique classique. Moi, j'ai une voix normalement un peu rauque. C'est pour ça d'ailleurs que lorsque j'ai débuté je me suis naturellement dirigée vers le jazz. Ça m'amusait. Mais le jazz, un peu comme le rock, c'est un style de vie. Et qui ne ressemble pas au mien. Moi je suis plus sensible à la chanson populaire avec tout ce que ce terme peut avoir de noble et de puissant. Donc en travaillant ma voix avec acharnement, j'ai réussi à lui donner une tonalité beaucoup plus pure. Quand on parle de ma voix de cristal, elle est simplement le fruit d'un entraînement d'athlète ! La preuve ? Je suis née avec un défaut des cordes vocales. Non décidément je n'avais rien pour être chanteuse !

Je l'ai découvert tout à fait par hasard. C'était juste après avoir quitté le Conservatoire, je chantais dans des clubs, avec une telle passion, une telle boulimie que je pouvais passer la nuit derrière mon micro, j'étais enchantée et jamais fatiguée. Jusqu'au jour où ayant attrapé un rhume et continuant à chanter sans me soigner, je suis devenue aphone. J'ai déjà raconté comment j'avais perdu ma voix et que le médecin m'avait interdit de parler pendant trois mois. En fait j'avais une trachéite. Malgré tous les remèdes, la trachéite disparue, un enrouement persistait. Le médecin s'inquiéta et m'inquiéta aussi :

— Décidément ça ne passe pas cet enrouement... disait-il en m'examinant la gorge et n'y comprenant rien.

— J'ai toujours eu ça plus ou moins. C'est ma voix qui est ainsi.

Moi je ne voyais pas de raisons de m'affoler. Lui si. Il me condamna donc au silence pendant trois mois.

— Vous ne le savez pas, vos cordes vocales sont rouges et enflées. Après une cure, elles redeviendront normales.

L'une en effet retrouva son volume et sa couleur habituels, l'autre demeura épaisse, un peu rouge. Dans les graves, ma voix s'enrouait, se cassait un peu parce qu'elle ne vibrait pas suffisamment. Tandis que si je chantais haut et que l'air circulait, ma voix retrouvait son fameux cristal. Simplement, j'étais à la merci d'un simple rhume.

— Vous avez vécu avec jusqu'à aujourd'hui, conclut le médecin, et vous n'avez pas si mal réussi. Vous ne pouvez pas faire autrement que de continuer.

Il n'avait jamais vu pareil défaut mais il était contraint de l'admettre : on pouvait chanter avec une corde vocale difforme. Toutefois, sachant désormais que je possédais cette malformation et d'où venait ma voix de chanteuse de jazz, je devais être attentive et redoubler de précautions. L'idée de cette voix à dompter devint un challenge pour moi : je me suis astreinte à plus de discipline, à une véritable exploration de mes possibilités. En travaillant régulièrement, j'ai littéralement fait connaissance avec ma voix, j'ai appris de quelle manière je pouvais la faire vibrer d'une corde sur l'autre et respirer en utilisant au mieux mes poumons pour sentir comment sort ma voix, pour mesurer jusqu'à quel point donner de l'air à une note pour qu'elle s'épanouisse au maximum. En fait, tout le savoir acquis pour le chant classique au Conservatoire m'a servi énormément du jour où j'ai compris que je n'avais pas la voix de tout le monde. Je voulais tout à la fois conserver ma spécificité et lui donner une étendue aussi vaste que possible. Maintenant je choisis soigneusement mes tonalités, je sais jusqu'où je peux aller trop loin, comment pousser mes limites sans me faire de mal.

Je sais aussi quelles précautions prendre en tournée : en avion je bois beaucoup d'eau et je me gargarise pour éviter la déshydratation due à l'air conditionné, je bois beaucoup d'eau chaude additionnée de citron et de miel le soir en me couchant. Ce sont des petits trucs, presque des habitudes prises et suivies sans faire réellement attention. Je crois d'ailleurs pour l'essentiel que le meilleur pour ma voix c'est le sommeil. Et je suis bénie de ce côté-là : il me suffit de m'allonger dans le noir, bien à plat sur le dos, et de faire le vide en moi pendant dix minutes. Et c'est comme si j'avais dormi des heures.

XIII

Jeans et paillettes

— Nana, Nana, Nana...

Ils scandent mon nom avec une ferveur à laquelle rien ne m'arrache. Certains sont debout appuyés à la rampe, accoudés, le visage au creux du coude comme des enfants à qui l'on raconte une histoire, d'autres sont debout dans les allées. Ils ont déposé des fleurs tout au long du concert et maintenant le devant de la scène est un parterre de roses, de lys blancs, d'iris et d'autres fleurs plus modestes. Ils n'ont pas envie de s'en aller. Comme des gens qui s'aiment ne peuvent se quitter. Pourquoi les laisserais-je ? Je leur offre encore un air grec pour la gaieté. Et puis, pourquoi pas ce soir, *Amazing Grace*. Dans la coulisse, Uli agite la lampe de poche qui me guide : entre la lumière des projecteurs et ma myopie je ne distingue rien que cette tache de lumière vers laquelle je me dirige maintenant.

— Nana, Nana, Nana...

Les musiciens à leur tour abandonnent leurs instruments. Dans la coulisse, je bois un verre d'eau.

— Nana, Nana, Nana...

215

Cela n'est qu'un jeu. Ils savent que je vais revenir, je sais que je dois revenir. En quelques pas, je suis devant le micro. Quelques secondes d'immobilité. Le silence s'installe à nouveau. Plus fort, plus intense. Alors je chante dans ce silence qui me porte plus sûrement que le plus solide des accompagnements, je chante pour le plaisir, le leur et le mien, l'*Ave Maria* a cappella. Ils restent muets un instant, puis applaudissent, rappellent, rappellent. Mais cette fois chacun le sait, le tête-à-tête est fini.

Je salue, mains jointes comme j'en ai pris l'habitude. Geste de paix et d'apaisement, geste acquis je ne me souviens plus quand, tant il m'est devenu familier, puis je reviens vers la tache de lumière qui danse sur le sol. André est là, il hoche la tête, approbateur, Elke me tend une serviette, Uli passe devant moi et tient le rayon de sa lampe vers le sol : les coulisses sont toujours sombres. Selon les villes, elles serpentent derrière la scène, parfois dessous, elles montent et redescendent en d'interminables escaliers de fer, ou débouchent sur un ascenseur monte-charge qui me hisse en ahanant jusqu'à l'étage de ma loge.

Je me pose sur le canapé ou le divan — souvent usé. Vannée, vidée et en pleine forme, épuisée de cette saine fatigue que l'on éprouve après un effort physique qui vous a éreinté et regonflé d'oxygène à la fois.

La chanson c'est un métier d'athlète. Et comme eux les chanteurs éprouvent encore une sorte d'énergie nerveuse, un trop-plein d'énergie qui les empêche de s'écrouler sitôt l'effort achevé...

André commente la soirée, les faiblesses ou les bons moments. Quelques bouquets sont apportés, le tourneur passe la tête : il est content, il a fait le plein, des amis de passage pointent le nez.

— Une minute, je me change, après on va dîner.

Elke, mon assistante sur certaines tournées, range mes robes dans les grandes malles-cabines noires à montures d'acier équipées de roulettes avec des porte-manteaux et des tiroirs. Ces malles apparaissent toujours les premières dans ma loge, elles me précè-dent en général et repartent souvent avant moi, alors que je suis encore en train de me démaquiller. Une douche, une friction. Un pull, un jean : et me voilà prête pour aller dîner. Et en pleine forme. En général à force de rôder toujours dans les mêmes villes, de Hambourg à Bruxelles en passant par Amsterdam ou Anvers, nous finissons par aller dans les mêmes restaurants ouverts tard le soir.

Mais avant d'aller dîner, il me reste à faire toutes sortes de choses. D'abord, je redescends jusque sur la scène. Les techniciens déménagent les lumières et le matériel du son pour le ranger dans de grosses caisses d'aluminium qui vont partir immédiatement en camion vers leur prochaine destination. Ils travaillent vite et sans bruit, presque sans se parler : ils connais-sent tellement bien le déroulement des opérations et la tâche de chacun qu'ils évitent les mots inutiles. Il leur arrive d'avoir à rouler toute la nuit et la journée pour venir monter les lumières et régler le son à l'avance, et ils vont repartir aussitôt le matériel embarqué. Même épuisés ils demeurent toujours calmes.

Moi je m'avance vers la scène. Il ne reste plus que les éclairages de sécurité, la lueur chiche d'une ampoule au plus profond des cintres, la lumière des coulisses au contraire illuminées et de place en place dans la salle l'éclat bleuté des signaux des sorties. Une vaste fosse noire et muette a remplacé cette masse remuante et chaude, ces visages qui n'en formaient qu'un, ces regards, ce souffle qui ne respirait que pour moi et mes chansons. Je reste un moment seule face à la salle. Comme pour la saluer. J'ai besoin de ce rituel, un parmi d'autres, mais essentiel. C'est une manière de conjurer le sort, de dire « Attends-moi, je reviendrai », à moins que ce ne soit le plaisir de respirer une dernière goulée de cet air que je ne retrouverai nulle part ailleurs. Chaque salle en effet est unique pour moi.

Lorsque j'atteins la sortie, je ne suis pas seule : les fans m'attendent. Les fans méritent que l'on s'attarde avec eux. On a tout dit sur eux, sur elles, le pire et le meilleur. Il faut le savoir, les fans forment la base solide et intangible sur laquelle s'appuie le public d'un chanteur. Pas un ne pourra me démentir, même ceux qui clament bien fort « les fans, quelle plaie ! ». Dans mon cas, les fans — membres du club — me suivent depuis des années. Leur fidélité est la garantie en quelque sorte de mon succès et aussi sa mémoire. Comment ne pas rendre grâces à ce groupe de Flamandes qui depuis plus de vingt ans collectionnent tout ce qui me concerne dans la presse française et étrangère. « Comment font-elles, me dis-je parfois, pour trouver d'Anvers un journal de Toronto, ou de Sydney ? » Et pourtant, elles m'envoient régulièrement de gros albums magnifiquement reliés retraçant ma carrière année après année, tournée après tour-

née, émission après émission. Elles sont les scrupu-
leuses archivistes de mon activité au point que je finis,
lorsque j'oublie une date, par me tourner vers ces gros
volumes rouges, à la couverture toilée, gainée d'un
étui identique sur lequel le M de mon nom est enlacé
d'une clef de sol. Ces femmes me suivent d'un concert
à l'autre, font parfois des kilomètres ou prennent
l'avion lorsqu'elles savent que je vais donner un
concert particulièrement important : elles étaient là le
soir de la première à Hérode Atticus et je le savais,
bien qu'elles ne m'aient jamais demandé la moindre
faveur sinon de poser pour une des innombrables
photos qu'elles « piquent » au vol lorsque nous nous
croisons à la sortie du spectacle.

Car, c'est à ces brèves entrevues que se limitent en
général mes contacts avec les fans. Je reçois un
abondant courrier : lettres d'amour, de jeunes filles
aspirantes chanteuses, enfants qui réclament un autographe, mères de famille qui demandent conseil
(pourquoi à moi, grand dieu ?). J'essaie de répondre
régulièrement, j'avoue que c'est assez difficile vu mon
emploi du temps. Souvent je reçois des demandes
d'argent, quelquefois pressantes, de gens manifestement à bout d'espoir. Il arrive aussi que certains fans
ne se contentent pas de me croiser à la fin du
spectacle.

Je me souviens d'une tournée en France au cours de
laquelle une jeune fille m'a littéralement poursuivie
soir après soir. Que faire d'elle ? Elle déjouait les
services de sécurité pour assister aux spectacles, me
rejoindre dans les coulisses, me suivre jusque dans ma
loge, où elle se glissait derrière moi... Que voulait-

elle ? Rien de précis. Juste être avec moi et rester là. Il n'y a rien de pire pour un chanteur ou un artiste que de se sentir ainsi épié. On a déjà lorsqu'on possède un visage connu l'impression un peu gênante d'être observée dans tous les endroits publics mais là, cette surveillance a vite atteint un point intolérable. Certains dans ma tribu auraient souhaité appeler la police. J'ai pensé que d'une fan un peu excessive, j'allais faire une victime à laquelle on ne pouvait pas, d'un point de vue légal, reprocher grand-chose. Je décidai donc d'inviter la jeune fille à dîner avec tous les musiciens et les techniciens et tous ceux — journalistes, tourneur, amis de passage — qui se joignent à nous pour dîner après le spectacle. Le résultat fut immédiat : elle se montra enchantée, nous réussîmes à la convaincre qu'elle ne pouvait espérer nous suivre. Pouvait-elle abandonner sa famille, ses études, sa vie bien réglée pour une existence incertaine ? Nous n'avions rien à lui offrir que notre musique. Et rien d'autre à partager que ça. Elle finit par entendre raison et sourire malgré les larmes qui montaient. Je crois que ce « virus » lui a passé : je n'ai plus entendu parler d'elle. J'espère qu'elle est heureuse et qu'elle a reporté l'affection débordante qu'elle avait pour moi vers quelqu'un d'autre plus proche.

Qu'est-ce qui fait courir les fans ? La même chose que moi probablement : le besoin d'amour. Celui que je leur offre à travers mes chansons. Seul problème : ils-elles m'identifient à mes chansons et s'adressent à moi comme à ma musique. Chacun oublie que je ne suis qu'une interprète. Je ne suis pas la musique, je ne suis pas le message d'amour, simplement le messager. Mais il est si difficile de leur résister : j'ai le sentiment d'attirer les enfants, les faibles, oui, ceux qui comme moi, enfant, ont eu tellement besoin d'amour.

Alors à la sortie, ils m'attendent avec les bras chargés de fleurs et de cadeaux les plus inattendus : un coussin en tapisserie au petit point avec mes initiales, une poupée habillée avec une tenue identique à une de mes robes de scène, des bonbons, une bouteille de très bon vin, deux pots de confitures faites « à la maison », un châle, un petit pantin... Leur imagination est débordante. Je les reconnais souvent, nous échangeons quelques mots. Certains se sont mariés, ont eu des enfants, me les présentent, nous parlons un moment. Jamais bien longtemps, Elke, Uli m'entraînent. Nous remontons dans l'autocar. Ils sont en grappes le long des vitres, prennent des photos :

— Au revoir, au revoir !

Ils m'adressent des baisers, je leur réponds. Chacun se voit seul en tête à tête avec moi, je lui souris. Ils ont attendu si longtemps ce moment. Puis le car s'éloigne du trottoir, prend de la vitesse. Les lumières du théâtre sont éteintes : il n'y a plus qu'un petit groupe qui se fond dans l'obscurité. Allons à table, enfin. Je meurs de faim.

Parfois nous dînons d'un sandwich acheté pendant le spectacle par Elke ou le road-manager, parfois nous allons dans une brasserie... Pas de règle : le hasard nous guide selon les villes et les fatigues du jour. Il nous arrive souvent en revanche de traîner et discuter en buvant un verre : le spectacle, le public et les projets ou bien « si on faisait telle ou telle modification ?... » L'un suggère, l'autre discute.

Soudain les souvenirs tombent : « Tu te souviens à Montréal comme c'était bien ? » ou bien « Miami, l'hôtel quelle merveille. Et la salle... » Quelquefois même nous nous mettons à égrener des airs, des bribes de chansons... La musique traîne toujours autour de nous. La plupart de mes musiciens sont avec moi depuis longtemps. Guitare et bouzouki, Yussi Allie a commencé à jouer à mes côtés voici dix-huit ans. Il vient d'Afrique du Sud. Il est très grand, son apparente douceur, sa réserve masquent, je crois, une immense nostalgie pour son pays natal, mais il se livre peu. Certains vont et viennent, me quittent l'espace de quelques mois puis me retrouvent. Pour certains disques, il m'arrive de travailler avec d'autres musiciens, parfois aux Etats-Unis. L'univers des « musicos » est changeant et au fond ce n'est pas plus mal ainsi : collaborer avec des gens différents vous contraint à vous remettre éventuellement en question et du coup à vous renouveler. L'idée est valable pour moi comme pour mon équipe.

Mais quand nous partons en tournée, nous devenons une famille, une tribu, avec ses habitudes, ses rituels, ses coups de gueule : huit techniciens, six musiciens, le road-manager, Elke et le chauffeur. Dans notre bande, ce qui arrive à l'un touche tous les autres. J'aime parler avec chacun d'entre eux, que ses soucis soient partagés avec tous. La vie sans domicile fixe que nous menons par périodes exacerbe parfois les coups de déprime ou les découragements. Il faut être attentif, ne pas laisser s'installer un mauvais climat, savoir à quel moment il vaut mieux demander moins que plus, à quel autre moment on fera impromptu une petite fête. Comme ça pour le plaisir et aussi parce qu'on a soudain besoin de détente. Nous ne faisons que passer dans les hôtels qui se ressemblent tous : modernes, fonctionnels, mais impersonnels. Alors pour marquer mon territoire j'ai des petites manies : je pose mon chapeau toujours à l'entrée de ma suite comme chez moi, sur une chaise, j'ouvre toujours mon lit quelle que soit l'heure... Mais au fond je me soucie assez peu du décor.

L'endroit où nous nous retrouvons c'est l'autocar. C'est la roulotte familiale. Doté de tout le confort moderne : il faut imaginer que nous y passons des heures, que nous devons même pouvoir y travailler le cas échéant.

A l'avant, c'est un autocar comme les autres, avec des sièges transformables en couchettes, équipés de tablettes, de repose-tête, d'emplacements pour poser son verre et de lumière individuelle pour lire sans déranger son voisin. Au milieu, un bar, un frigidaire, des toilettes et à l'arrière une banquette arrondie autour d'une table, un canapé confortable. Une espèce de salle de conférences dont on peut escamoter la table et qu'un rideau sépare du reste du véhicule... Mais le décor est une chose, ce que nous en faisons est autre chose : le soir après le spectacle quand nous nous affalons dans nos fauteuils, nous déposons toutes nos affaires dans une sorte de joyeux désordre : sacs, pulls, chapeaux, cadeaux, fleurs mêlés aux fleurs et aux cadeaux de la veille parfois... Tout à coup, on ne sait plus si on est dans la roulotte des romanichels ou dans la grotte de Lourdes avec un tas d'ex-voto et de fleurs. En général, le désordre ne dure pas au-delà d'un trajet : dans cet espace aussi réduit que la cabine d'un avion, le supporter plus longtemps serait infernal. Mais parfois je me surprends à penser que cet autocar pourrait être celui de Madame Irma diseuse de bonne aventure avec son fouillis !...

Quand vient l'heure tardive de monter nous coucher... nous traînons. Il y a toujours un moment où je dis « Il faut être raisonnable et aller dormir » mais je n'en pense pas un mot. A force de tourner, nous nous décalons lentement sur les fuseaux horaires et sur le rythme de vie de Monsieur-tout-le-monde : nous sommes des oiseaux de nuit. Et souvent ce n'est que lorsque pointe le jour qu'enfin nous nous séparons après avoir refait cent fois l'univers du show-business, rêvé d'un ou deux albums que nous ferons sûrement, surtout lorsque André est là.

Avec ce producteur magique il suffit d'évoquer un projet pour qu'il se réalise dans les mois ou l'année qui suit. Ainsi pour mon dernier album classique, nous en avions parlé presque sans y prendre garde. André sait que je garde en moi quelque chose de la nostalgie du Conservatoire et du classique. Donc au cours de ces soirées, nous avons peu à peu choisi des titres... André ne m'accompagne pas tout le temps : il revient régulièrement à Paris. En fait lorsque je fais dix mille kilomètres, lui doit en faire environ quarante mille... Il est là, soudain il disparaît, puis le revoilà... Donc, pendant que je me baladais aux quatre coins du monde, il collationnait des cassettes et des compacts pour me faire écouter des airs et peu à peu les sélectionner. Le choix final s'est fait à Paris.. Mais c'est au cours de ces nuits rêveuses où la fatigue vous engourdit les membres mais vous laisse l'esprit extraordinairement lucide que nous avons fait un premier travail de réflexion sur cet album... !

Les matins sont brumeux. Elke me réveille : « Hello Nana ? How did you sleep ? It's time. » Elke est mon assistante, mon garde-fou, ma nounou. Elle ne me quitte pas d'une semelle en tournée. Elle est la première levée, la dernière couchée, elle gère mon planning quotidien, les rendez-vous sur place à l'hôtel pour la promotion. Voici bientôt cinq ans qu'elle travaille avec moi.

Au début, elle se montrait très réservée : attendant que je l'appelle pour se manifester, un peu comme un chat prévenant et actif, mais absolument distant et réservé. Plus tard, elle m'a avoué avoir cru ne jamais parvenir à s'adapter, à comprendre comment fonctionnait mon univers et celui qui m'entourait. Mais Elke est intelligente et volontaire : elle s'est donné un challenge et elle l'a réussi.

Finalement elle me parle plus anglais qu'allemand mais grâce à elle, j'ai acquis un minimum. Donc Elke me réveille et je prends un rapide petit déjeuner. Nos horaires sont véritablement élastiques : un jour, nous dormons tous comme des loirs jusqu'à midi parce que nous n'avons pas de déplacement prévu, un autre jour nous nous retrouvons, blafards, à neuf heures dans l'autocar... Une seule règle : arriver dans le théâtre, où qu'il soit, trois heures avant le début du spectacle.

C'est le road-manager qui se charge de régler nos horaires, qui veille à ce que le matériel arrive. Il est le contrôleur et le gentil organisateur tout à la fois ainsi que le surveillant-chef.

Arrivé sur place, chacun sait ce qu'il a à faire. Repérage des loges : les musiciens en ont deux, j'en ai une, il y a un endroit aussi pour que se détendent les techniciens. Ils sont les premiers au travail : déchargement des caisses, installation lumière et son, tests lumière et son pour permettre une rapide répétition. Dans ma loge se trouvent toujours des bouteilles d'eau, quelques boissons variées et souvent des fleurs : le tourneur, le propriétaire du théâtre, parfois le maire et parfois aussi des fans. Elke range mes robes, les sort des malles, leur donne un coup de fer. Je descends sur la scène. Les musiciens accordent leurs instruments. C'est un des bons moments de la soirée : je répète un peu avec eux tandis que se règlent les lumières et le son. Je peux prendre la mesure de la salle. Bien souvent je la connais déjà, mais retrouver pour un soir un endroit tous les deux ans ne signifie pas que vous en possédez l'acoustique et la géographie. Alors je répète quelques accords, je marche sur la scène pour en sentir le plancher et la souplesse, je prends mes marques. Nous réglons quelques enchaînements. Parfois l'ambiance, un air en entraînant un autre et tout d'un coup nous voici partis dans une séance d'impro... Chauffés, nous sommes prêts à démarrer mais il est 19 h 30, l'heure de remonter se changer, souffler, se concentrer. Comme si tout d'un coup nous n'existions plus, les lumières de la salle s'allument tandis que s'éteignent celles de la scène. Les ouvreuses sanglées dans leur uniforme entrent par les portes latérales à deux battants et vont, les bras charges de programmes, prendre leur poste aux quatre coins de la salle.

Sur la scène, un homme de l'entretien nettoie le sol à grands coups de serpillière, l'ingénieur du son met au point un dernier détail, installé derrière son pupitre. Uli apparaît dans la coulisse, sa lampe à la main. Il colle sur le sol des bandes blanches qui vont du milieu de la scène jusqu'à la coulisse côté cour : j'entre et je sors du même côté, toujours côté cour (à droite lorsqu'on regarde la scène). Les bandes blanches sont mes repères : les cailloux du Petit Poucet que je suis tout comme le faisceau lumineux qui me guide.

Remontée dans ma loge, je me change, me maquille à peine : un peu d'anti-cernes, trait de crayon, mascara, blush et rouge à lèvres. Mon maquillage n'exige pas plus de dix minutes dans les grandes occasions... Me voici prête. Le Stage Manager entre :

— Nana dans sept minutes.

Parfois je me gargarise, parfois je lis, parfois je ne fais rien du tout, parfois encore je discute avec des amis. Le trac, je l'ai, ça ne se maîtrise pas.

— Nana ? Shall we go ?

Uli me parle un tiers en anglais, un tiers en allemand et encore un (petit) tiers en français. Tout le monde quitte ma loge : je suis toujours — c'est un rite essentiel celui-là aussi — la dernière à quitter ma loge. Je dois pouvoir la regarder vide, et refermer moi-même la porte. J'ignore pourquoi, je ne me souviens pas du jour où j'ai fait ce geste, eu cette exigence pour la première fois. Je sais seulement que je ne peux rigoureusement pas m'en passer sans me sentir très mal. Je suis Uli et le rayon de sa lampe. En général plus personne ne me parle sauf urgence entre le moment où je quitte ma loge et celui où j'entre en scène. Je m'isole en baissant la tête, en ne regardant personne et chacun respecte ce besoin minime de concentration. Elke emporte une serviette, une bouteille d'eau : le nécessaire de l'athlète. Nous voici au bord de la coulisse, les musiciens ont commencé à jouer une ouverture. Je me laisse bercer quelques secondes : je suis comme le parachutiste avant le saut, comme le coureur dans les starters avant le coup de feu : l'adrénaline court dans mon sang, encore une ou deux secondes, je sentirai le moment d'entrer. C'est moi qui le décide. Je respire un grand coup. Je plonge. Le public. Ce qui domine tout d'abord c'est la panique. Tout se mélange : émotion, peur, envie de chanter, responsabilité... jusqu'à ce que note après note, mot après mot, chanson après chanson, s'installe un état magique, un vrai tête-à-tête qui me transporte dans une sorte de rêve. Le bonheur. Ces moments d'intensité qui reviennent tout au long de ma carrière et depuis le début.

Ainsi lors de mon second passage à Astir, j'ai eu l'occasion de vivre de vrais bonheurs et surtout de les voir compris par d'autres. Le soir très tard en général, Aristote Onassis, l'armateur, venait avec Maria Callas prendre un verre. Elle était une amie et une admiratrice de Manos Hadjidakis. Elle s'intéressait à sa musique, à celle que je chantais.

Ils m'invitèrent un soir à leur table et me pressèrent de questions. La Callas surtout. Elle voulait savoir où j'avais appris à chanter, comment je travaillais ma voix. « Suivez votre instinct, ma petite, me conseillat-elle. Il n'y a pas de bonne ou de mauvaise musique. Il n'y a que de bons et de mauvais chanteurs. Et quand on aime ce qu'on fait, on le fait bien. Vous chantez très bien. »

Je l'ai revue à Paris quelques années plus tard. « Tu vois, me dit-elle, il vaut mieux être une chanteuse populaire exceptionnelle qu'une cantatrice médiocre. A condition de ne jamais tricher. » Cette phrase me rappela ma mère. Ne jamais tricher venait en écho de ses propres préceptes.

Oui, je suis incapable de tricher. Il m'arrive de sortir de scène et de me retrouver devant mon miroir assaillie de doutes : ai-je mérité tous ces applaudissements ? Suis-je digne de la confiance que mes amis et le public ont mise en moi ? En général, ces questions m'amènent à travailler plus encore, à multiplier les répétitions.

Quant à mentir, je peux dire que c'est impossible sur scène. Le public n'est jamais dupe très longtemps. Il m'est arrivé de rares fois de devoir annuler un spectacle. Ce fut toujours au prix d'un vrai déchirement. Je me souviens d'avoir tout fait pour éviter une telle extrémité. Un jour au Palais des Congrès à Paris, au bout de deux chansons, j'étais exténuée. J'ai dit au public : « Pardonnez-moi, ce n'est pas juste. Ni pour vous, ni pour moi. » Les gens se sont levés et ont applaudi. Ils sont revenus dix jours plus tard. Pareille aventure m'est arrivée à Anvers au théâtre Queen Elisabeth et une autre fois à Montréal. J'avais un petit rhume mais l'air conditionné de l'avion m'avait achevée. Je ne pouvais plus respirer et nous avons dû annuler le concert. Or le planning ne nous offrait aucune échappatoire : il nous fallut faire une double soirée le lendemain, avec un spectacle à onze heures. J'en avais les larmes aux yeux de fatigue mais je devais bien cela à mon public.

Le pire fut atteint lorsque ma mère était au plus mal. J'étais à Francfort. André, toujours attentionné, était pendu au téléphone pendant que je répétais et réglais le concert du soir. Impossible de me concentrer. Quand, finalement, je pus avoir mon père en ligne, ce fut pour l'entendre me dire : « C'est fini, nous l'avons perdue. » Comment était-ce possible ? Le désespoir vient quand il n'y a plus rien à faire. Nous dûmes annuler trois concerts et partir en catastrophe pour Athènes.

De retour en Allemagne — je me souviens c'était à la Musik Halle de Hambourg — le public informé par les journaux fut plus chaleureux que jamais. Je fus couverte de fleurs, et l'ovation qu'il m'offrit me reste comme un des plus émouvants souvenirs. Ce soir-là en sortant de scène, je n'eus pas honte de laisser couler mes larmes. Ma mère, je le sais, comprenait mon chagrin.

« La scène est un divan », dit Nikos Gatsos, mon ami. Ce poète n'a pas perdu son âme. Il dit parfois des choses que personne n'ose affirmer. La scène est un divan ? A son avis est-ce pour moi la meilleure des psychanalyses ? Sur les planches aussi bien que sur un divan, j'exprime le « moi » profond et secret de Nana Mouskouri. Gatsos voit-il juste ? Je me sens bien obligée de dire maintenant ce que j'éprouve sur une scène : un pur bonheur. Une salle pleine, chauffée, un public qui répond, c'est un tête-à-tête sublimé d'amour. Je sais que je le rends heureux et lui en retour me comble comme on jouit du bonheur de l'être aimé. « La scène est un divan » : ce divan et le bonheur indescriptible, ce plaisir comme une drogue justifient à eux seuls mes cent cinquante galas par an, les milliers de kilomètres en avion ou en autocar parcourus sans rien voir d'autre que les coulisses d'un théâtre. Ils donnent tout son sens à une existence à laquelle je ne demande rien d'autre. Ils me font oublier totalement tout l'attirail de la star depuis la villa à Saint-Tropez jusqu'à la zibeline en passant par les bijoux... Toute cette panoplie je ne la méprise pas, simplement je n'y ai jamais pensé. Ma seule préoccupation en tournée c'est « Est-ce qu'ils vont m'aimer ? » et la même question me hante lorsque je sors un disque... Rien d'autre.

Peut-être suis-je comme ma mère que seul intéressait le travail. Peut-être comme ma mère, si un jour je dois m'arrêter de chanter, je mourrai consumée d'ennui et de tristesse, le cœur et la tête vides.

XIV

Retour aux sources

Seuls les exilés peuvent me comprendre. Oui, je
sais, cette phrase dans ma bouche peut étonner. Moi
qui vais et viens dans le monde entier depuis tant
d'années, qui ai choisi Paris et Genève comme ports
d'attache, pourquoi me plaindrais-je ? Pourquoi, de
quel droit, revendiquerais-je cette qualité d'exilée ?
C'est vrai, je l'ai choisie ma diaspora, et cette errance
d'un théâtre à un autre, d'un disque à un autre, j'en ai
fait le miel de ma vie. Même fatigante, mon existence
a des reflets dorés. Et pourtant, lorsque s'est dessinée
l'idée que je pourrais revenir chanter dans mon pays
natal, mon cœur a bondi de joie.

Oui ! Seul un exilé peut me comprendre parce qu'il
faut avoir goûté la saveur amère de l'exil, fût-il
volontaire, fût-il aisé, pour apprécier tout le bonheur
angoissé du véritable retour au pays.

Jamais je n'ai véritablement abandonné la Grèce
puisque, dès que la période des colonels a pris fin, je
suis revenue pour de courts séjours. Mais il ne
s'agissait que de visites à ma famille, à quelques amis
dont mon maître à penser, le philosophe Nikos Gatsos

233

qui a écrit pour moi des textes sublimes et avec lequel j'aime tant parler. Lui est toujours resté là-bas, silencieux souvent et parfois empêché de parler. Lui m'a manqué infiniment comme certains paysages de Grèce, comme certaines rues, comme certains cafés que je fréquentais, comme les images qui ont forgé ma jeunesse et mon esprit grec. Lorsque je venais en Grèce en visite, je n'avais guère le temps de me promener, je passais des heures à parler en famille. Et je ne pensais guère à chanter. Au fond de moi sommeillait ce désir, attendant le moment propice. Je savais que lorsqu'il arriverait, comme la chance je le reconnaîtrais et qu'alors mon retour en Grèce s'accomplirait réellement. Mais il a fallu dix ans d'attente.

Jusque-là, ma carrière m'avait emmenée aux quatre coins du monde, je pouvais dire, me contentant d'énoncer un simple fait, que j'étais une chanteuse universellement connue. Les seuls pays où je n'avais pas encore chanté en 1984 étaient l'URSS, et la Grèce... En Russie, j'avais refusé finalement après avoir préparé une tournée : je devais déposer à l'avance tous les textes de mes chansons pour chaque soirée, dans l'ordre d'interprétation. Je trouvais cette méthode de surveillance insupportable. Quant à la Grèce... Pourquoi n'avais-je donc jamais chanté en Grèce en me produisant dans un grand théâtre comme dans les autres pays ? Pourquoi après plus de vingt ans de carrière n'avais-je pas réussi mon rêve d'enfance : monter sur la scène d'un théâtre de variétés aussi vaste, aussi beau dans ma mémoire que celui où m'avait emmenée ma mère et où j'avais versé tant de larmes de frustration ? Pourquoi ? demandaient mes amis. Que répondre ? Que j'avais un peu peur, que je voulais un retour réussi, indiscutable, dans un lieu symbolique et fort... Je voulais l'Odéon Hérode Atticus et rien d'autre ou l'équivalent. Donc j'attendais. Il m'a fallu une dizaine d'années, piégée par des engagements ailleurs, laissant passer parfois des occasions... Le hasard forge les circonstances à sa façon.

Odéon Hérode Atticus est un immense théâtre, un des plus grands du pays. Il s'adosse sur le flanc sud de l'Acropole en un vertigineux à-pic de gradins de pierre. Les riches Grecs possédaient un sens aigu de la communication au début de notre ère, ils avaient également l'art de la démesure tout comme les très riches Grecs d'aujourd'hui : Hérode Atticus fit construire cet Odéon pour sa femme et par goût pour le théâtre, vers 160 après Jésus-Christ. L'architecte était sans doute un génie du son : l'acoustique y est parfaite. D'où que l'on soit parmi les cinq mille places, on entend bien. En général on y donne des spectacles classiques, des pièces du répertoire ou des opéras. Frank Sinatra s'est produit là une fois dans les années soixante. J'y étais. Ce fut presque un bide, une soirée très froide, sans aucune ambiance. J'en étais surprise car tous les gens qui étaient venus aimaient réellement Sinatra. C'était inexplicable : j'ai fini par croire que l'atmosphère créée par ce décor ne convenait pas forcément à la variété. Pas à de la variété chantée par un Italo-Américain fût-il « The Voice ». Cela justifiait en quelque sorte le fait que ce théâtre est très rarement ouvert à des chanteurs de variétés ou des spectacles autres que du classique.

Pourtant je décidai que ce décor serait le mien. J'en

rêvais depuis que je l'avais découvert fillette en promenade avec ma mère. J'ai assisté à des représentations du Théâtre national et je sais la valeur de ces pierres chargées d'histoire, du décor, de l'atmosphère. Là, je serais assurée de donner le meilleur de moi-même, en sachant que le moindre de mes efforts serait valorisé. Hérode Atticus serait le théâtre de mon retour. Mes amis, Nikos, André, Giorgaki Lefendarios étaient d'accord avec moi.

Il fallut certaines discussions, tout un train de tractations menées de main de maître par André. Parfois je pense que parmi les ancêtres bourguignons de cet homme que je chéris, doit se cacher un Grec tant il sait parfaitement s'harmoniser avec l'esprit de mon pays. Un soir, cependant, André me demanda :

— Tu es célèbre partout, tu es aussi connue en Grèce. Pourquoi te faut-il absolument revenir en grandes pompes dans cet endroit-là précisément ?

Je le regardais stupéfaite. Il savait très bien toutes les réponses. Il avait vu, jour après jour, grandir en moi ce désir nostalgique de retour. L'espace de quelques secondes, je crus qu'il me préparait à l'idée que cette entreprise serait trop compliquée ou difficile à réaliser. Puis je me repris. André a parfois de ces remises en question pour vérifier si le cap est bon, si je suis toujours dans les mêmes dispositions. Tel l'entraîneur de l'athlète, il m'oblige à revoir mes motivations, à éliminer les plus faibles, à fortifier les plus essentielles. Les Américains appellent cela un « coach ». Littéralement c'est celui qui tient les rênes de l'attelage et le guide. En vérité, rien ne correspond mieux au rôle d'André dans notre couple, j'ai envie d'écrire notre entité. Nous sommes si complémentaires que nous représentons, vies privées et professionnelles mêlées, plus qu'un couple.

— Alors ? insista André. Pourquoi es-tu tellement certaine qu'il te faut tout ça ?

— Ecoute.

Je pris une grande inspiration. Il arrive que parfois je devienne très grecque dans la conversation : je philosophe un peu, je m'étends, j'explique. Là, j'en avais besoin même pour moi.

— Ecoute. On grandit, la vie passe, on change. Mais pas sur le fond. On évolue mais l'essentiel de soi demeure tel que depuis le début. Mon problème c'est que j'ai envie qu'« ils » m'acceptent dans ce lien.

— Ils ?

— Oui, « ils », les gens de mon pays. Ils ont tellement pensé que j'ai changé. Ils me croient devenue une étrangère et ils se trompent. Je veux qu'ils comprennent que je suis la même et pas seulement parce que je chante les mêmes chansons mais parce que tout simplement je suis restée identique. J'ai grandi tout simplement et ça c'est normal. Je veux qu'ils me reprennent là où ils m'ont laissée et pendant cette soirée je veux effacer vingt ans d'absence. Je dois les retrouver, et renouer avec eux comme si je les avais quittés hier.

André a souri. J'adore son sourire. Celui qui rassure parce qu'on le sent lui-même conforté.

— Ambitieux, hein ?

— Non, idéaliste et sincère.

Il a encore souri. Cette fois j'ai compris qu'il allait m'annoncer une nouvelle :

— Tu l'as ton Hérode Atticus : ils t'invitent à chanter là-bas, deux soirs de suite. Première le 23 juillet.

Et il est retourné à son bureau à son téléphone, son téléfax, tout son attirail avec lequel il communique vingt-quatre heures sur vingt-quatre dans le monde entier. Il savait qu'il valait mieux me laisser seule savourer ce bonheur fou et en même temps la peur. Une émotion me submergeait : comment réagir lorsque vous avez caressé un rêve pendant une dizaine d'années et que soudain on vous dit :

— Voilà ça y est, vous l'avez.

Comme toujours, quand l'émotion me gagne je pleure. Donc je mouillais quelques kleenex avant de pouvoir demander des détails à André. Il est aussi réservé que je suis émotive. Il m'a donc expliqué les tenants et aboutissants de l'opération, toute la technique, les termes du contrat. Je l'écoutais en enregistrant automatiquement. Tout avait été organisé entre Gilbert et Maritie Carpentier, Roland Ribet, Mucki Stammler mon agent, l'office du tourisme grec et André. On en tirerait deux émissions de télévision signées d'André Flédérick... Je rêvais déjà. Avec soudain, une inquiétude :

— Et s'ils me trouvaient prétentieuse ?

— C'est un risque à courir.

— Mais il ne s'agit absolument pas de prétention. Tu le sais bien. J'ai besoin d'un endroit chargé d'émotion, de sens, de magie... Ils peuvent comprendre ça.

— Bien entendu. Ils comprendront encore mieux en t'entendant.

Net et pragmatique, André. Pas question de me chouchouter dans le genre « mais non ma chérie, mais non. Tu n'es pas prétentieuse... ». Il me donne toujours et uniquement la juste appréciation des choses. Il n'aime pas les femmes-enfants ni les « chichiteuses ».

J'arrivai à Athènes très peu de jours avant le concert. Je voulais être seule, repérer les lieux que je connais si bien, absolument incognito. J'étais pétrifiée de trac. Rien ne se passa réellement comme prévu.

Je me retrouvais avec une escorte formée de journalistes et d'une équipe de télévision française me suivant pas à pas pour préparer le « Spécial Nana Mouskouri » qui comprendrait également des extraits du concert. Essayez de passer inaperçue avec un caméraman, un ingénieur du son, le réalisateur et son assistant filmant chacun de vos gestes, vous demandant gentiment : « Là Nana, tu peux la refaire ta sortie ? » ou bien « Cette vitrine bleue avec ces volets de bois, elle est tellement belle, tu pourrais passer devant ? » Ironie du sort, j'avais décidé de descendre à l'hôtel et non dans ma famille pour m'isoler complètement. Nous nous étions donc installés au bord de la mer non loin d'Athènes. Je voulais répéter seulement l'après-midi même. Tout avait été préparé et repéré en studio. Ce que je désirais le plus au monde était d'aller seule à Hérode Atticus et prendre mes mesures : entrer seule sur la scène, en éprouver le plancher, humer l'air, m'imprégner. Sans cette courte parenthèse, sorte de méditation, de recueillement pour me concentrer, je ne peux pas chanter. Là plus qu'ailleurs il me fallait cet instant si précieux. Mais avant de pouvoir m'offrir cette solitude qui m'apparaissait comme un luxe au fur et à mesure que les heures passaient et que photographes et journalistes s'agglutinaient autour de mon hôtel ou de ma voiture à chaque déplacement, je dus sacrifier à la presse. Il y eut donc la visite en règle de l'Acropole avec séance photos : pantalon blanc et tunique rouge et grand chapeau. De pierre en pierre, les touristes de passage me reconnaissaient, me demandaient des autographes, les appareils cliquetaient.

— Nana, tu t'assieds, là, voilà, tu regardes la mer ? Merci c'est splendide.

— Tu peux retirer ton chapeau, le vent dans tes cheveux... tu sais ? Oui ! Voilà !

— Non, non, ne noue pas ton foulard, laisse-le pendre en le tenant d'une main, il bouge au vent.

— Bon maintenant tu fais quelques pas, tu visites quoi... OK, vas-y, on te suit.

— Ah ! Die ist Nana Mouskouri ?

— C'est une chanteuse, sais-tu que je l'ai vue à Anvers...

— Oh ! Nana, Nana Mouskouri... elle visite l'Acropole.

— Mais non, c'est pas elle, pourquoi elle visiterait l'Acropole, elle la connaît...

En quelques minutes cette visite devenait une foire : les photographes me voulaient debout, assise, marchant, sautant, regardant les ruines d'un air inspiré, la mer d'un air dégagé et avec un sourire « plus gai, plus heureux, Nana ». Les touristes ou me reconnaissaient, ou ne savaient pas qui j'étais mais

« on ne sait jamais, c'est sûrement une vedette » et me tendaient des grappes de plans de l'Acropole à dédicacer.

J'étais horriblement déçue. Je ne reconnaissais pas mon pays, je ne retrouvais pas ce que je cherchais... Je souriais gentiment et derrière le sourire, je m'effaçais. A la vérité, j'étais fatiguée de cette balade et de son encadrement.

— Mais que cherchais-tu donc ? me demanda André lorsque, de retour à l'hôtel, je lui confiai mes impressions.

— Je ne sais pas.

Je n'osais pas lui dire que c'était mon passé, ma jeunesse. C'est alors qu'il me tendit une feuille dactylographiée.

— Tiens, lis ça. Je crois que c'est ce que tu voulais me dire.

Il s'agissait d'un texte de Nikos Kazantzakis, merveilleux écrivain grec mort en 1957. J'ai conservé ce papier, il est aujourd'hui tout froissé, usé d'avoir été lu et relu, d'avoir voyagé au fond de mon sac de pays en pays mais depuis ce soir-là, il fait partie de mon équipement. Il faut le lire pour comprendre ce que j'éprouvais après cette visite à l'Acropole :

« Je parcourais l'Attique pour la connaître... En fait c'était mon âme que je parcourais pour la connaître. Dans les arbres, dans les montagnes, dans la solitude je cherchais mon âme... Après chacun de mes vagabondages, je montais... sur l'Acropole voir et revoir le Parthénon. Ce temple est pour moi un mystère, je n'ai jamais pu le voir deux fois pareil à lui-même, il changeait continuellement me semblait-il ; il prenait vie, flottait tout en restant immobile, jouait avec la lumière et le regard de l'homme. Mais quand je me suis trouvé face à lui pour la première fois après tant d'années où j'avais ardemment désiré le voir, il m'a paru immobile comme le squelette d'un antique fauve et mon cœur n'a pas bondi de joie... J'ai tourné le dos au Parthénon et me suis plongé au loin jusqu'à la mer dans le spectacle merveilleux. Il était midi, l'heure cardinale sans ombre ni jeux de lumière, austère, verticale, parfaite... J'ai oublié derrière moi le Parthénon. »

Quand j'ai eu fini de lire, un poids immense m'était retiré. André utilisait Kazantzakis pour me dire ce que je devais faire : non pas renouer avec le passé mais avec le présent. M'accepter telle que j'étais, pour que mon pays m'accepte. Lui aussi avait changé, tellement que je le reconnaissais à peine. Je devais le comprendre. Je chassai les derniers nuages de nostalgie.

— Viens, dit André, on va aller dîner et si on te reconnaît et qu'on te demande de chanter, tu verras que tu vas passer la meilleure soirée de ton séjour.

Il plaisantait à moitié. Il avait réservé dans une taverne où des musiciens jouent tous les airs que je connais. Il était déjà tard quand nous nous sommes installés : les touristes partaient et les Athéniens arrivaient. Les musiciens en me voyant changèrent légèrement leur répertoire. En une demi-heure, tout était comme si rien n'avait changé : toute l'équipe TV, mes musiciens et des amis nous avaient rejoints. Et, passé et présent mêlés, je me suis mise à chanter... Vers deux heures du matin, André s'inquiéta un peu :

— Tu ne chantes pas dans une taverne demain soir, dit-il simplement, sa manière personnelle de donner le signal du départ.

Nous avons dormi tard. André avait décidé que je ne devais pas parler du tout, me détendre, me reposer jusqu'à cinq heures du soir. Nous irions alors au théâtre pour répéter. Vers le début de l'après-midi le téléphone retentit. C'était Nicolas. André me le passa malgré sa décision de me confiner au silence.

— Allô maman ?

Les deux enfants se trouvaient à Corfou chez leur père et devaient arriver dans la journée pour assister au concert. Il avait un ton inquiet.

— Alors mon chéri, on se retrouve tout à l'heure ?

— Mais non justement ! Papa dit qu'il n'y a pas de place dans l'avion. Enfin, je n'ai pas compris, mais on n'a pas de places pour aujourd'hui.

— Passe-moi ton père s'il te plaît.

— Je ne peux pas, il est déjà parti à la pêche et il m'a demandé de t'appeler pour te prévenir.

— Ça veut dire que ni toi ni Lénou ne seront là ce soir ?

Je ne pouvais pas croire que Georges avait négligé de s'occuper de leurs places d'avion : il savait depuis plus d'un mois que nos enfants devaient rentrer à Athènes ce jour-là pour passer ensuite des vacances avec moi.

— Il a dit qu'il y a de la place demain.

J'ai toujours essayé de ne pas dresser les enfants contre leur père. Je refoulais difficilement ma colère.

— Maman ? Tu n'es pas fâchée, dis ?

243

— Mais chéri, je suis déçue, surtout déçue. J'espérais tellement que vous seriez là ce soir... C'est un grand concert.

— Mais je sais maman, nous aussi on est tristes de ne pas être là. Mais on arrive demain. Tu nous raconteras tout et tu nous montreras la vidéo...

— D'accord, je vous embrasse.

Georges n'avait jamais bien accepté mon succès surtout lorsqu'il comparait nos deux carrières. Il n'en disait rien et nous avions, pour le bonheur des enfants, tenu à conserver de bonnes relations, au point même de passer les Noëls ensemble. Mais son ressentiment affleurait parfois comme s'il ne pouvait le maîtriser. Cette histoire de billets d'avion en était un exemple flagrant. Il ne l'avait peut-être même pas fait exprès... Mais il ne pouvait ignorer à quel point la présence de Nicolas et d'Hélène à mes côtés ce soir-là était importante. Qu'il me refuse cela par pure négligence ou par jalousie, peu importait... André évita tout commentaire mais se leva et dit :

— Tu devrais dormir encore. Je vais aller au théâtre.

— Non, dis-je, je t'accompagne.

Je ne voulais pas rester seule et après ce coup de fil, je n'aurais jamais pu dormir.

Nous nous sommes encore reposés une couple d'heures : il faisait trop chaud pour bouger. Le trac commençait à m'attaquer. Aliki, ma nièce, m'a appelée, puis Jenny m'a téléphoné pour m'embrasser et me dire que tout allait bien : papa essayait son nouveau costume. Nous avons ri toutes les deux. Papa était horriblement coquet et, il faut l'avouer, il avait de bonnes raisons de l'être : ce très bel homme était devenu un superbe vieillard.

Nous traversâmes Athènes à l'heure de la sieste. Des groupes de touristes s'affalaient aux terrasses. La chaleur faisait trembler l'air au-dessus des avenues désertées. Dans la voiture climatisée, je regardais ma ville et pensais à mon père. Ce joueur, cet homme de la nuit et du rêve, « la Chauve-Souris », quelle influence secrète avait-il eue sur ma vocation d'artiste et de chanteuse ? Tandis que la voiture glissait le long des rues encore calmes, surgissaient sous mes yeux les vieux cafés d'Athènes. Ceux précisément que mon père adorait fréquenter, où il avait ses habitudes. Et je découvrais que mon père était bien un Athénien typique. Nulle part ailleurs que dans ma capitale on ne trouve de ces cafés — miroirs biseautés et légèrement ternis, sol dallé, chaises cannées et banquettes de bois sombre — sortes de cavernes fraîches où palabrent, des heures durant, les amis de mon père. Ils portent beau leurs multiples décennies, ils ont de vraies gueules de pirates ou d'aristocrates, les cheveux blancs en couronne et des moustaches poivre et sel, le regard fier qu'ils abritent sous des panamas blancs. Personne ne sait mieux que les vieillards d'Athènes porter un costume clair et léger, une canne et un panama, le plus pauvre d'entre eux a plus de classe que n'importe quel vieillard de n'importe quel autre café dans le monde entier...

— A quoi penses-tu ? demanda André.

— Qu'Athènes possède les plus beaux vieillards du monde.

— Tu crois que je pourrais faire partie de ce club ?

s'inquiéta-t-il distraitement. Il avait d'autres préoccu-
pations plus concrètes.

Quand nous arrivâmes au théâtre, les premiers spectateurs se groupaient déjà devant les grilles. Ils me
reconnurent, se précipitèrent. Le chauffeur et André
s'interposèrent. Il était temps maintenant que je me
concentre et il n'était plus question d'autographes.

Je marchai jusqu'à ma loge. Mes robes étaient déjà
installées sur un portant, des bouquets de fleurs
envahissaient l'espace exigu de parfums et de couleurs
mêlés. Je posai mon chapeau, mon sac et me dirigeai
vers la scène. Les musiciens avaient déjà installé leurs
instruments. Ceux qui étaient présents me saluèrent
brièvement puis filèrent en coulisse. C'était le
moment où je souhaitais être seule. Je m'avançai sur
le bord de la scène et fis face au mur de gradins.
J'avais l'impression d'affronter une montagne.
Allaient-ils m'ouvrir les bras ? Allaient-ils me reconnaître ? Je reculai sur la scène en en éprouvant la
souplesse. Je fis quelques pas, allant et venant.
Cherchant ce que j'appelle le nombril de la scène, son
centre parfait où doit se poser mon micro. Je me
surpris à éprouver une grande confusion de sentiments : le trac, oui bien sûr, mais pas celui d'une
chanteuse devant un nouveau public. Celui d'un
enfant qui retrouve ses parents après une longue
fugue. L'enfant devenu adulte et pourtant encore et à
jamais enfant devant eux. Dans ce somptueux décor
m'aimerait-on enfin ?

La pensée de ma mère s'imposa. Comme si son
regard envahissait l'arène, je sentais sa présence.
Maman était morte sans que nous nous soyons donné

la chance de nous dire la vérité. Maman m'aimait-
elle ? D'où elle était, me verrait-elle ? M'entendrait-
elle ? M'aimerait-elle enfin ? Plantée au milieu de la
scène, je lui criais silencieusement : « Aime-moi. Si tu
m'aimes vraiment, ils m'aimeront ce soir et je trouve-
rai enfin la paix et le bonheur de revenir dans mon
pays, de boire à nouveau à sa source. » Je me sentais
émotionnellement si tendue que j'aurais voulu commencer le concert tout de suite.

Les musiciens revinrent un à un et nous avons
commencé à répéter quelques enchaînements, quelques accords délicats, une mise en place pour certaines chansons. Tout le monde avait le trac. sentait
que ce n'était pas un soir comme les autres. Puis
André pénétra sur scène. Il pensait qu'il valait mieux
ne pas trop pousser. Il m'entraîna dans ma loge.

André demanda un whisky, preuve qu'il était dans
un état pire que moi. Moi je regardais les deux robes
que j'avais choisies pour la soirée : du blanc d'abord,
quelque chose d'assez strict, une tunique en jersey de
soie très souple, prise à la taille par une large ceinture,
poignets resserrés et tombant en plis jusqu'aux pieds.
Le style grec en somme ! Pour la deuxième partie
j'avais opté pour un style moins sévère : un fourreau
noir à sequins d'argent, fendu sur le côté. Par une
sorte de superstition, j'avais refusé de porter de
nouvelles tenues de scène : les deux robes étaient
celles de mes tournées. Je me voulais telle que je suis
d'habitude.

— Tu veux boire quelque chose ? proposa André.

Il est fascinant : plus les circonstances m'angoissent,
plus il est calme. Il me servit un café.

— Tu pourras peut-être bientôt penser à te préparer.

Il était sept heures et le concert était prévu pour vingt et une heures.

Il me regarda siroter mon espresso avec un petit sourire ambigu.

— Alors, pas de doute, cette fois on y est ! Ça ne sera pas comme à Epidaure...

Epidaure ! Je bondis, j'avais oublié Epidaure. C'était aussi pour ça qu'André s'était battu pour avoir Hérode Atticus. Même si moi j'avais oublié Epidaure, lui qui n'existait pas dans ma vie à cette époque n'avait pas oublié mon récit et voulait une revanche. Et c'est vrai qu'Epidaure avait été une sorte d'Astir... pire peut-être.

Ça se passait vers 1961. En Grèce tout particulièrement, j'étais la « chanteuse populaire » et incontestablement, je devais ce succès au disque que j'avais enregistré avec Hadjidakis. Lui aussi était la star des compositeurs. Et voilà que parmi les multiples activités qu'il menait de front entre la chanson, le cinéma et les disques, il écrivait une musique pour deux pièces d'Aristophane qui devaient être jouées au théâtre d'Epidaure. Le spectacle était une production du Théâtre national grec et pour la musique l'orchestre et les chœurs de l'Opéra d'Athènes seraient de la partie. Hadjidakis se dit qu'il serait intéressant d'insérer dans le spectacle des airs qui seraient interprétés à ma manière, et donc par moi. Or il faut dire qu'il y a un très fort sentiment de caste chez les acteurs de théâtre classique comme chez les chanteurs d'opéra, spécialement ceux des chœurs. D'ailleurs, lorsque je faisais le

Conservatoire, déjà les élèves ne rêvaient que d'une chose : les chœurs de l'Opéra, ce qui me paraissait une ambition limitée. Mais pour eux, choristes, la chanteuse populaire c'était « du sansonnet » comme on dit en France. Hadjidakis non plus n'était pas sorti du Conservatoire, mais en tant que compositeur, son rayonnement était tel que nul n'aurait osé le contester. Et pourtant !

Lorsque Hadjidakis proposa de m'inclure dans le spectacle ce fut un tollé général. Il insista au point de me faire venir à Epidaure pour répéter. Moi j'avais une telle admiration pour lui, et un tel goût pour toutes les musiques mélangées que son idée me parut géniale d'une part, et d'autre part cette querelle, imbécile. Je me disais : « Dès que nous aurons chanté tous ensemble, tout s'arrangera. » Et je m'embarquais pour Epidaure, avec le chœur. Arrivés là-bas, l'ambiance était survoltée : non seulement Hadjidakis devait faire face à une mutinerie de la part du chœur mais le directeur du théâtre prenant fait et cause pour ses choristes refusait de me voir même pénétrer dans l'enceinte du théâtre : elle ou nous ! Tel était l'ultimatum. Qu'a-t-il pensé alors ? Sa personnalité, sa gloire étaient telles qu'il aurait pu aisément passer outre : le spectacle annulé à cause de moi aurait été un tel scandale que très probablement l'ultimatum était un bluff. Mais Manos céda. Pire, il céda sans me le dire. En évoquant vaguement l'idée d'en parler aux journaux. Puis en ne faisant rien. En m'oubliant. Je revins à Athènes. Dans le train qui m'emmenait je sanglotais de rage et d'humiliation.

Et voilà, ce soir j'allais chanter le thème de *Enas*

Mythos que j'aurais dû chanter avec l'orchestre de l'Opéra 20 ans plus tôt. Mais à l'époque j'étais une petite chanteuse populaire qui n'avait jamais fini le Conservatoire et n'avait donc pas de diplôme classique !

De ma loge, j'entendais maintenant gonfler la rumeur de la foule. On attendait le président Constantin Caramanlis et Melina Mercouri, ministre de la Culture, des diplomates. Et puis, il y avait les amis, les copains venus spécialement pour la circonstance et parmi eux Serge Lama, Gérard Davoust mon éditeur, Patricia Coquatrix, Albert Emsalem, Jacques Caillart, Monique Le Marcis, Jacques Metges, Jacqueline Cartier, Sam Gesser venu spécialement du Canada. Et en régie, André Flédérick et au son Roland Guillotel qui ne m'aurait pas lâchée pour une occasion pareille. Je ne serais pas seule si jamais je faisais un bide. Je me maquillai, j'enfilai ma robe blanche. Je me regardai dans la glace encore une fois. Dans ces moments-là, je vérifie tout comme sur une check-list : maquillage ? Rouge à lèvres ? Cheveux ? Lunettes ? Yeux ? Tout est paré, on peut y aller. André était déjà dans les coulisses. Et pour une fois, l'admettra-t-il un jour ? il mourait de trac. L'assistant frappa à ma porte et vint me chercher. Nous avions quelques minutes de battement : les musiciens allaient jouer une ouverture. Il m'ouvrit la porte, passa le premier comme toujours et soudain, le bruit m'assaillit : la foule scandant mon nom. Ma gorge se serra d'émotion. Dans le couloir, mon père et ma sœur. Elle portait une stricte robe noire et une coiffure serrée qui pour élégante qu'elle était la vieillissait un peu. Papa en revanche, costume gris et cravate pétrole, était superbe. Je les embrassai :

— Pourquoi n'allez-vous pas vous asseoir ?

— Non, dit papa, je voulais d'abord te voir sortir de ta loge. Là, tu me plais.

Il me serra dans ses bras.

— Quel dommage, que ta mère ne puisse pas te voir ce soir, quel dommage, chuchota-t-il. Je suis si heureux.

Pendant quelques secondes je fus sa petite fille chérie qu'il serrait dans ses bras si tendrement qu'elle ne voulait pas s'arracher à cette protection. Puis je m'écartai en lui souriant. Il avait les yeux pleins de larmes. Mais le métier, d'autorité, nous dirigeait chacun à sa place : la chanteuse vers la scène, le vieux monsieur vers son fauteuil d'orchestre. Une dernière seconde, je pris une grande inspiration et puis entrai. L'arène était pleine, bondée. Mon regard se perdait vers le haut : la foule avait investi au-delà des derniers gradins les rochers de la colline.

J'ai attaqué avec mes succès classiques et en quelques minutes, j'oubliai tout : le trac, les rancœurs, les angoisses, ma solitude, mon malaise dans la foule sur l'Acropole. Un apaisant bonheur m'enveloppait : je chantais pour un public devenu peu à peu extraordinairement silencieux et je chantais chez moi. Je voulais revenir à mes sources, pour eux je chantais : *To kiparissaki, Athina, Tora pou pas stin xenitia, Milisse mou, Hartino to fengaraki, Kapou iparhi agapi mou,* etc. Comme un puzzle commencé vingt ans auparavant, tout s'harmonisait soudain : le dernier morceau venait de se mettre en place. J'entonnais *Liberté,* un frisson parcourut l'assistance et très doucement j'entendis des voix le reprendre : « Souviens-toi des jours de ta misère. Mon pays, tes bateaux étaient tes galères. » Les mots symbolisaient si justement les souffrances endurées par mon pays que je sentis les larmes ruisseler sur mon visage.

Je chantai trois heures durant, je ne voyais pas le temps passer sous la nuit athénienne chaude et lumineuse. A la fin, tous debout m'applaudissant, j'aurais encore volontiers continué malgré la fatigue. Alors je me contentai d'interpréter l'*Ave Maria* de Schubert, seule sans micro, sans l'orchestre, accompagnée du seul piano de Jean-Pierre Sabar, dans ce magnifique espace où la voix est portée jusqu'au sommet des gradins sans effort. Il y eut rappels et rappels. Je m'avançai au bord de la scène, et, pendant une fraction de seconde, je vis une femme vêtue très modestement, assez âgée, au beau visage encadré de cheveux gris. Elle souriait tendrement et elle applaudissait mais lentement comme lorsqu'on voit sur un écran une image au ralenti. Hallucination? Moi, j'étais certaine, cela me paraissait parfaitement naturel de voir ma mère, surtout de la voir enfin heureuse me disant par sa simple présence, par son sourire qu'elle m'aimait, je ne devais plus en douter. Alors je me sentis réellement apaisée. Sereine.

En coulisse, le président Constantin Caramanlis vint m'embrasser la main : « Je suis si heureux, dit-il. Tu m'as ébloui. Il ne faut pas rester tant d'années sans revenir désormais ! » Nous nous connaissons depuis longtemps : il était Premier ministre en 1959 quand il venait m'entendre chanter mes premiers succès dans les tavernes.

Melina Mercouri lui succéda. On a toujours dit que nous ne sommes pas les meilleures amies du monde. Disons que nous ne nous voyons pas souvent mais notre amour de la Grèce et notre nostalgie lorsque nous en sommes éloignées peuvent nous rapprocher. Ce soir-là en tout cas Madame le ministre de la Culture dans l'exercice de ses fonctions et la comédienne venant saluer confraternellement une chanteuse de ses relations étaient enthousiastes et chaleureuses toutes les deux...

Ensuite ce fut une foule joyeuse d'amis parfois lointains que je retrouvais, d'autres plus proches qui n'avaient jamais perdu le fil, de lointains cousins, des inconnus, je souriais à des visages émus et heureux. Je cherchais André du regard : dans ces moments-là, il prend de la distance. Rien ne l'ennuie plus que la foule, en même temps rien ne le navrerait plus qu'elle ne soit pas là après le spectacle. Donc il prend son mal en patience. Après une heure de bousculade, je parvins à réintégrer ma loge, me changer, souffler, me retrouver moi-même. André me servit du whisky et en but lui-même. Pour quelques fugitives minutes nous fûmes en tête à tête. Je guettais son diagnostic :

— Alors ?

— Merveilleux. Tu sais, j'ai pleuré aussi !

Avare de compliments et soucieux de perfectionnisme comme je le connaissais, je m'épanouis. Le bonheur. J'aurais bien recommencé aussitôt. Il n'en était pas question : on nous attendait pour une fête à la taverne Dyonisos. C'est une des plus vieilles tavernes de Plaka où l'on mange grec et où je me retrouvais réellement chez moi. Nous avons dîné, moi entre mon père rayonnant et Jenny, plus réservée, avec tous les amis, comme d'habitude. Il faut dire que le mari de Jenny était mort deux ans plus tôt et elle avait accueilli papa chez elle. Ils étaient en train de devenir une sorte de couple, père et fille. Elle est aussi sévère et grondeuse que maman quoique moins stricte tout de même. Et papa semblait très satisfait de cet arrangement quoiqu'il ne ratât pas une occasion de se plaindre en plaisantant de la discipline que lui imposait sa fille... André, les musiciens, quelques amis, la fête eût été complète si les enfants avaient été là. Manos manquait aussi, en revanche Nikos Gatsos tout ému était attablé avec nous, Agathi et des amis.

— Et maintenant, quand reviens-tu faire un disque en Grèce ? lança quelqu'un.

— Avec des paroles de Nikos Gatsos, compléta un autre.

Je jetai un coup d'œil à André : ce projet nous trotte dans la tête depuis longtemps mais comment le réussir ? Nous avions commencé à en évoquer les possibilités... Mais il est dit que décidément en Grèce la notion de temps est différente. Ce disque, nous avons fini par le faire quatre ans plus tard et ceci est une autre histoire.

J'avais complètement oublié mon équipe de télé française qui je l'avoue s'était faite plus discrète. Mais le lendemain à l'heure du déjeuner, je reçus un coup de téléphone :

— Nana ? Ne voudrais-tu pas faire un tour dans les rues d'Athènes, tu sais une balade, Nana sur les traces de Nana. Nous avons essayé de retrouver ton adresse, ton cinéma, ton quartier.

Je ne m'en sentais guère le courage quoique l'idée de revoir tout cela m'amusât. Papa m'avait prévenue : « Tu sais tout a changé. D'ailleurs le cinéma tu ne le retrouveras pas... » Finalement vers cinq heures, nous nous sommes embarqués en voiture avec le matériel pour retrouver la brasserie Fix, le cinéma, « l'agazia » les jasmins et le petit jardin des voisins... Nous avons quadrillé tout le quartier. Nous avons demandé. Plusieurs fois j'ai pensé que ma mémoire flanchait : est-ce que je ne me souvenais plus de rien ou bien avait-on changé mon vieux quartier ? Oui, la reconstruction, les années fastes puis la crise étaient passées par là. A la place du cinéma, signe des temps, s'était installé un garage. L'odeur d'essence avait remplacé celle des jasmins. Ma maison n'existait plus : un immeuble avait été édifié et le jardin des voisins et le nôtre faisaient partie d'un garage... Voilà comment s'achevait le pèlerinage que je n'avais jamais eu le temps de faire en vingt ans. L'équipe était à la fois déçue et triste. Je leur remontais le moral :

— Ecoutez c'est la vie, tout change, tout bouge. Le contraire aurait été étonnant. C'est la preuve de la vitalité du pays.

A la vérité, depuis que j'avais retrouvé mon pays en chantant pour lui, plus rien ne pouvait me blesser ni m'atteindre. Depuis que j'avais eu cette vision fugitive de ma mère au sourire si tendre, je me sentais le cœur léger. En descendant la rue qui m'éloignait du cinéma de mon enfance, malgré les immeubles, en dépit du garage, il me semblait bien que flottait encore un parfum d'agazia...

XV

La chanteuse

Aujourd'hui, les gens me disent :

— Nana, vous ne changez pas. C'est merveilleux. J'aimerais être comme vous, que le temps ne me marque pas.

Ils me flattent un peu sans doute. Ils oublient que j'ai été grosse et que l'un des avantages de cet inconvénient se traduit par une peau plus élastique, plus souple et qui donc se fatigue moins. C'est vrai, j'ai de la chance, je ne vois pas les années passer. Sans doute parce que ma vie, cet éternel voyage, me plaît telle qu'elle est.

Deux ans à l'avance, je sais où je chanterai : Los Angeles, Toronto, Mexico, Sydney... entre deux voyages s'intercaleront un gala à Londres, une télé à Madrid ou à Bruxelles, un disque à Paris. Et je débrouillerai cet écheveau de lignes d'avion et de fuseaux horaires pour y glisser de réguliers aller et retour à Genève pour voir Nicolas, à Londres pour retrouver Lénou. Pendant ce temps André s'offrira une escapade aux Puces ou en Bourgogne et nous nous rejoindrons probablement dans un aéroport, sinon dans les coulisses d'une salle de concert.

Ma vie est donc toujours différente, et toujours identique. Et en plus de Genève et Londres, je compte une étape supplémentaire pour la Grèce. Je ne l'ai jamais abandonnée vraiment mais depuis mon retour à Hérode Atticus, je m'étais promis de venir chanter chaque année. Je réussis à donner assez régulièrement quelques récitals, l'été de préférence. Ce sont presque des vacances : je retrouve mes enfants, ma sœur, ma nièce et les amis... La famille.

Ma famille. Progressivement cependant, tout nous avait séparés. Comment peut-on expliquer cela ? Disons que ma carrière et ma famille n'ont jamais fait bon ménage : j'ai toujours eu le sentiment que maman, papa, Jenny comprenaient bien ce que je voulais mais se sentaient frustrés de ne pas participer davantage. Maman surtout qui aurait voulu m'accompagner partout. Jenny, elle, a toujours pensé que maman me préférait, alors que je pensais la même chose d'elle. Relation difficile de deux petites filles avides d'un amour maternel exclusif, relations compliquées de deux adultes, nées dans le même nid et dont les existences sont aussi différentes que possible... Aujourd'hui cependant, tout a changé : papa est mort tout récemment. La disparition des parents n'est jamais une évidence. Pas plus que le bonheur, le chagrin ne peut être raconté. Au risque de choquer je dirai que le départ d'un être proche constitue un bouleversement aussi considérable qu'une naissance. Cette dernière, c'est la victoire de la vie, l'autre c'est l'échec.

Papa, ce beau vieillard si élégant qui m'écoutait

fièrement à Hérode Atticus, s'était progressivement affaibli. Il vivait comme je l'ai dit avec Jenny depuis la mort du mari de celle-ci. Il menait une existence paisible quoique bien ennuyeuse à son goût : il avait fait un infarctus et le médecin lui avait interdit de jouer :

— Tu te rends compte, Nana, s'insurgeait-il auprès de moi. Pas de « tavli », pas de bridge... et je ne parle même pas de poker. Tu te rends compte ? Il me permet de regarder mais pas de jouer. Ça me fatigue bien plus le cœur, je m'énerve.

Il me faisait rire. Je ne comprenais pas l'importance de cette privation. Ou plutôt je refusais de la comprendre. La table verte, cette malédiction que mon père avait fait peser sur la vie de ma mère, sur notre enfance, je ne voulais plus en entendre parler. Et j'avais le sentiment que papa ayant lui-même renoncé à jouer, comment aurait-il pu souffrir autant de se voir privé de jeu ? Pourtant, il devint malheureux, et frustré.

Il allait chaque jour retrouver ses amis au café. Il s'asseyait avec eux, bavardait et lisait le journal agrafé sur une grande baguette de bois. A l'heure de l'apéritif, il buvait de l'ouzo en grignotant des olives et de la feta. Après le déjeuner, il prenait un café grec avec des petits gâteaux ou du « glyco kutaliou », une sorte de pâte de fruits faite avec des oranges amères, des figues ou des morceaux de cerises ou de pêches. On le mange à la cuillère avec un verre d'eau. C'était un des grands plaisirs de papa : il passait des heures à jouer et à parler. Après son infarctus, il ne pouvait donc plus que parler... Il s'ennuya. Jenny lorsqu'il revenait à la maison le grondait sans trop se fâcher :

— Tu ne dois pas rester si longtemps, et tu ne fais pas assez attention à ce que tu manges. Tout ça te fatigue.

— Elle me traite pire que ta mère, tu sais, se plaignait-il l'air ironique.

En fait il avait trouvé cet arrangement avec Jenny tout à fait à sa convenance. Et tout le monde était d'accord avec lui : l'un et l'autre se tenaient mutuellement compagnie.

Mais papa se sentant faiblir n'avait plus trop de goût à la vie. Comme maman, d'une autre manière. Il continuait par une habitude ancienne à se montrer plutôt gai, et convivial. Bientôt je sentis comme une urgence : dès que je disposais du temps suffisant, je faisais un saut à Athènes, ne serait-ce que pour une soirée et une nuit. Entre moi et le vieux monsieur s'installa alors un dialogue, très bref, trop bref et si souvent interrompu que je n'en conserve que des bribes.

Je dormais chez Jenny. Nous dînions tous les trois. Parfois ma nièce se joignait à nous, ou bien une amie, une tante. Papa ne disait pas grand-chose. Il écoutait beaucoup, du moins en donnait l'apparence. Puis nous allions tous nous coucher. Or je ne m'endormais pas immédiatement : je suis un oiseau de nuit comme l'était mon père. Or je découvris qu'il avait conservé cette habitude. J'entendais son pas à la fois hésitant et léger sur le pavé du couloir. Il poussait la porte doucement. Fugitivement, son geste me rappelait ma petite enfance, lorsque rentrant au milieu de la nuit, il entrebâillait la porte de notre chambre et jetait un regard pour s'assurer que tout allait bien. Parfois, il se penchait et venait m'embrasser. Il sentait la fatigue : une odeur de tabac, de crème à raser et de sueur mélangés. Cette fois, il ne doutait pas que je sois réveillée :

— Tu ne dors pas, constatait-il simplement en venant s'asseoir au bout de mon lit.

J'allumais une lampe de chevet. Sa silhouette si fragile dans sa robe de chambre se dessinait en ombre chinoise.

— Ça va comme tu veux ? demandait-il.

La question était de pure forme. Il attendait que je lui dise que oui, bien sûr tout allait très bien. Nous avions déjà évoqué tous les sujets classiques — les enfants, André, mon métier — au dîner. Je devais lui demander :

— Et toi comment te sens-tu ?

Alors, il allait me raconter une bribe du passé... Un prétexte suffisait :

— Je dors, je me réveille, je me rendors. Tu sais, je somnole. Je rêve quelquefois... Je rêve souvent de ta mère. Elle était très jolie, vraiment jolie quand je l'ai connue.

Il parle comme pour lui-même et moi je me sens dans le calme de la nuit plus libre de poser des questions.

— Maman avait souvent l'air triste quand nous étions petites, tu t'en souviens ?

— C'était son air habituel...

— Vous vous parliez beaucoup ?

— Non. Pas beaucoup.

— C'est la table verte qui la rendait malheureuse ?

— Oh ça et d'autres choses...

— Quelles autres choses ?

— Ah ! j'ai mal au dos. Je crois que j'ai un peu froid.

— Quelles autres choses, papa ?

— Si tu nous faisais une tisane ?

— Oui, je vais faire de la tisane. Mais dis-moi quelles autres choses rendaient triste maman ?

Il me suivait jusqu'à la cuisine dans la maison silencieuse. Là, nous nous asseyions sur une chaise en attendant que l'eau chauffe.

— Tous ces rêves qu'elle avait et qui ne se réalisaient jamais. Elle aurait voulu chanter, que Jenny et toi chantiez, que tu sois cantatrice, je ne sais... Elle voulait réussir mais je ne sais pas quoi.

— Tu parlais avec elle...

Il laissa glisser un long silence :

— Je n'ai pas eu le temps de parler vraiment avec elle. Il y a toujours eu ce malentendu...

— La table verte ?

— Si tu veux.

— Tu te souviens quand tu jouais à la maison avec tes amis ? Je sentais l'odeur de la fumée et je vous entendais jouer. Le bruit des cartes...

— Tu ne dormais pas ? Petite farceuse, quand j'allais voir, tu faisais semblant alors ! Ah ! ces parties... Tu ne peux pas savoir. Ça la rendait folle, ta mère... Quelquefois je rêve que je joue mais je ne gagne jamais.

Décidément, son passé si douloureux pour nous ne l'était pas pour lui. De la nostalgie, il en avait, oui mais pas de remords.

— Tu ne gagnais jamais de toute façon...

Il n'aimait pas discuter de ce sujet. D'ailleurs ces conversations n'étaient en réalité jamais aussi précises. Elles s'étalaient sur une ou deux heures, peuplées de moments de silence. Parfois il ne répondait pas à une question, parfois s'arrêtait au milieu d'une phrase. Pour être honnête, les sujets qui me touchaient si fort comme la table verte, la tristesse de maman, je ne les abordais que de manière biaisée. Pris de front mon père se taisait, il fuyait.

— Tu ne peux pas te souvenir de la Crète mais j'aimais ce pays. La Canée... Il y avait un joli cinéma , et puis ta maman ne travaillait pas et quand je revenais la nuit à la maison, elle m'attendait. Elle était gaie et gentille...

— C'était avant la guerre, papa.

— Ah oui, la guerre...

— La guerre civile était pire.

— Oui, c'était pire.

Il évoquait plus volontiers le passé lointain que celui plus proche dont j'aurais aimé parler... Une fois cependant :

— Tu n'aurais pas aimé chanter à l'Opéra? me demanda-t-il.

— Je n'avais pas l'étoffe d'une cantatrice, papa ! Jenny peut-être mais pas moi.

— Jenny !..

Oui Jenny aurait dû chanter : elle avait tout pour cela. Elle avait la voix et l'oreille. Tout sauf la dynamique, ce désir impératif que moi je possédais. Finalement au cours de ces tête-à-tête dans la sérénité de la nuit, je n'appris rien de plus que je n'aie su ou

263

pressenti. Papa demeura plus que discret sur sa vie, sur ses relations avec ma mère. Il l'avait aimée, mais sûrement moins que le jeu et toute la vie nocturne qu'il menait. Il ne l'avait pas assez aimée. Mais entre lui et moi les liens se resserrèrent, je pouvais encore lui donner mon amour et lui, le sien. Tisser entre nous les derniers liens d'un amour dont je savais qu'il allait s'achever.

Bientôt papa s'affaiblissant, perdant son appétit, frappé d'anorexie fut transporté à l'hôpital. Je décidai de venir immédiatement.

— Inutile, me fit savoir Jenny, il se sent déjà mieux, on va le ramener à la maison.

Maman était décédée dans les mêmes conditions : l'hôpital, le retour à la maison, Jenny qui me dit « tout va bien » et moi rassérénée pour quelques heures avant finalement d'apprendre sa mort. Cette fois je pressai Jenny de questions : était-elle bien certaine ? J'étais en tournée en Allemagne et en Belgique et je devais absolument m'organiser pour pouvoir faire des sauts à Athènes... La tournée s'achevait. Je décidai de partir pour Athènes avec un crochet à Genève . Et ce fut ainsi, en dépit de ce qu'avait dit Jenny, que mon père mourut brutalement d'un œdème cardiaque sans que je l'aie revu.

Un proverbe grec dit que lorsqu'on perd sa mère on est orphelin, et quand on perd son père, on n'a plus de racines. C'est très exactement ce que j'éprouvais en arrivant à Athènes.

La famille se réunit pour l'enterrement. Le soleil de juin était impitoyable. Silencieux, hébétés de chagrin et de chaleur, nous nous sommes retrouvés tous ensemble dans l'appartement de Jenny, avec elle, sa fille et son gendre, des cousins, des oncles, des tantes. Il régnait cette ambiance si particulière des enterrements qui donnent à la fois l'occasion d'une réunion de famille avec toutes les surprises, les attendrissements, les timidités qu'elle occasionne, et aussi, dans mon cas, un véritable chagrin. Mais peu à peu je pris conscience d'une étrange impression se dégageant de cette réunion dont pour la première fois mon père était absent : c'était vers moi que tous se tournaient pour les décisions à prendre. Qu'il s'agisse de détails : irait-on dîner dehors ou bien faisait-on quelque chose à manger ici ? Ou bien de choses plus importantes : On va faire graver une pierre, Nana, que décides-tu ? Tout à coup apparaissait une structure familiale nouvelle : Jenny à la maison gardienne de la tradition, de l'histoire de la famille, de nos liens entre tous, et moi vivant à l'extérieur et donc possédant l'autorité. Tout se passait tacitement mais nettement.

Le soir pensant à tout cela, je téléphonai à André, demeuré à Paris et je le lui dis. Il marqua une pause avant de répondre :

— Cela t'étonne ?

— Oui un peu.

— Il en a toujours été ainsi. Tu ne t'en rendais même pas compte à cause de la présence de ton père. En apparence, il représentait le chef de famille. Mais chaque fois qu'une difficulté se présentait, on faisait déjà appel à toi.

Aujourd'hui, j'essaie de vivre désormais comme un chef de famille : revenant régulièrement dans ma terre natale. Peu à peu je me rapproche de la Grèce, peut-être un jour à nouveau m'y installerai-je.

Papa était mes racines. A mon tour, je plante les miennes. Papa était l'arbre qui réunissait et abritait la famille, si fragile fût-il par moments. A mon tour, je suis cet arbre forcé de grandir, d'étendre sa ramure de pousser plus profond ses racines... Un arbre solide et solitaire.

DISCOGRAPHIE

45 tours (Singles)

Fontana

260 104	Le jour où la colombe/Robe bleue... robe blanche
260 106	Au cœur de septembre/C'était bien la dernière chose
260 151	Tous les arbres sont en fleurs/Coucourroucoucou paloma
260 168	A la porte du jardin/Chèvrefeuille que tu es loin
260 172	Puisque tu m'aimes/Marie se marie
260 182	L'enfant et la gazelle/Quand l'amour vous tend la main
260 250	Mon enfant/Dans le soleil et dans le vent
260 314	Ce soir à Luna Park/C'est joli la mer
260 441	Quatre soleils/Deux pour une chanson
260 564	Le garçon que j'aimais/La dernière rose de l'été
261 313	Savoir aimer/Si tu m'aimes tant que ça
261 389	Avant toi/L'orage
261 404	Encore plus près de toi/Ensemble
261 418	La pluie ce soir joue sur la mer/Quand je te reverrai
261 564	La dernière rose de l'été/Le garçon que j'aimais
261 570	Lune sans cœur/Petits enfants du monde entier

45 tours (Singles)

261 608	C'est bon la vie/Qu'il fait beau! Quel soleil
261 609	Adieu Angelina/Le toit de ma maison
328 071	Et si demain/Quand on s'aime
493 024	A force de prier/The one that got away
6009 593	La musique sans les mots/Il est passé
6009 677	Pour mieux t'aimer/Quelqu'un sans toi
6010 002	Dans le soleil et dans le vent/Et pourtant je t'aime
6010 017	Comme un pont sur l'eau trouble/Adieu mes amis
6010 038	Pauvre Rutebeuf/Les mathématiques
6010 040	Le tournesol/Both sides now
6010 053	Berceuse/La vague
6010 066	Je finirai par l'oublier/Milisse mou
6010 069	Soleil, soleil/Le temps qu'il nous reste
6010 085	Ni vivre, ni mourir/Je t'aime à en sourire
6010 103	Soledad/C'est l'amour
6010 108	L'enfant au tambour/Remets mon cœur à l'endroit
6042 026	Petit Papa Noël/Douce nuit, sainte nuit
6042 041	Toi qui t'en vas/Suis ta route
6042 171	Quand tu chantes/Tommy Davidson
6042 259	La première chanson ensemble/Je te regarde
6119 004	Pour quelques centimes/Mets ta main dans ma main
6172 023	Qu'est-ce que je t'aime/Il arrivera peut-être
6172 055	Alléluia/Pardonne-moi
6172 093	Habanera/Qu'est-ce que ça peut faire
6176 003	Un beau matin à la fraîche/Dans les prisons de Nantes
6176 007	C'est mon histoire/Parle-moi
6176 009	Vivre au soleil/Finis ta chanson sans moi
6832 026	Petit Papa Noël/Douce nuit, sainte nuit
6837 016	Chimbolom/Le train dans la plaine
6837 099	Ave Maria/Où le vent t'emmène
6837 155	L'amour de moi
6837 232	La vie, l'amour, la mort/Il est passé
6837 293	Toi qui t'en vas/Suis ta route
6837 511	Va mon ami va/Dans les prisons de Nantes
8632 975	Les mathématiques/Va-t'en vite

Philips

6009 593	La musique sans les mots/Il est passé
6009 677	Pour mieux t'aimer/Quelqu'un sans toi
6042 026	Petit Papa Noël/Douce nuit, sainte nuit
6042 041	Toi qui t'en vas/Suis ta route

DISCOGRAPHIE

45 tours (Singles)

6042 171	Quand tu chantes/Tommy Davidson
6042 259	La première chanson ensemble/Je te regarde
6172 023	Qu'est-ce que je t'aime/Il arrivera peut-être
6172 055	Alléluia/Pardonne-moi
6172 093	Habanera de Carmen/Qu'est-ce que ça peut faire
6176 003	Un beau matin à la fraîche/Dans les prisons de Nantes
6176 007	C'est mon histoire/Parle-moi
6176 009	Vivre au soleil/Finis ta chanson sans moi
6837 016	Le train dans la plaine/Chimbolom
6837 189	Le ciel est noir/Que je sois un ange
6837 232	La vie, l'amour, la mort/Il est passé
6837 293	Toi qui t'en vas/Suis ta route
6837 511	Dans les prisons de Nantes/Va mon ami va

Carrère

CA 171 13655	L'Amour en héritage/Instrumental

Super 45 tours (Extended Play)

Fontana

437 111	La musique des étoiles/Connais-tu/Et si demain/Quand on s'aime
460 209	C'est bon la vie/Qu'il fait beau ! Quel soleil/Adieu Angelina/Le toit de ma maison
460 241	Au cœur de septembre/C'était bien la dernière chose/Robe bleue, robe blanche/Le jour où la colombe
460 245	Mon gentil pêcheur/Les arbres morts/Le temps des cerises/La fenêtre
460 255	Roule s'enroule/Coucourroucoucou paloma/Tous les arbres sont en fleurs/Au bord de l'eau
460 259	Puisque tu m'aimes/A la porte du jardin/Marie se marie/Chèvrefeuille que tu es loin
460 260	Vole, vole farandole/Je n'ai rien appris/Et pourtant je t'aime/Danse à en perdre tes souliers
460 262	L'étranger/Ruby garde ton cœur ici/Amour moins zéro/Il n'est jamais trop tard pour vivre
460 757	Le petit tramway/Retour à Napoli/La montagne de l'amour/Un roseau dans le vent

Super 45 tours (Extended Play)

460 777	Ton adieu/Toi que j'inventais/Je reviens dans mon village/Quand on s'aime
460 795	Roses blanches de Corfou/Adieu mon cœur/La procession/Sonata
460 830	Ce soir à Luna Park/Savoir aimer/C'est joli la mer/Si tu m'aimes tant que ça
460 842	Crois-moi/Je reviendrai my love/Salvame Dios/Joue pour moi Ianakis
460 857	Un homme est venu/Portraits en couleurs/Puisque tu vas partir/Dindi
460 862	A force de prier/Ensemble/Laissez-moi pleurer/Les yeux pour pleurer
460 867	La place vide/Avant toi/L'orage/L'eau qui dort
460 879	Don't make me over/Seule au monde/Rose parmi les roses/Ça fait si longtemps
460 891	Au feu/La pluie ce soir joue sur la mer/Quand je te reverrai/Ça vient de toi
460 914	Les parapluies de Cherbourg/Sur les quais de Cherbourg/Quatre soleils/Deux pour une chanson
460 921	Celui que j'aime/La fille d'Ipanema/Je n'oublie pas/Quand s'allument les étoiles
460 936	L'enfant au tambour/Le temps des cerises/Remets mon cœur à l'endroit/Les enfants qui pleurent
460 953	Ses baisers me grisaient/Une rose de Paris/Ce n'était rien c'était mon cœur/Mon amour, prenons la route
460 963	Petits enfants du monde entier/Lune sans cœur/Le garçon que j'aimais/La dernière rose de l'été
460 985	Le cœur trop tendre/Les amours de juillet/La colombe/Guantanamera
660 274	Si tu m'aimes tant que ça/Ce soir à Luna Park/La montagne de l'amour/La procession/Roses blanches de Corfou/Savoir aimer/Ton adieu/C'est joli la mer

Livre-disque

Fontana

6274 013	Douce nuit, sainte nuit/Minuit chrétiens/Petit Papa Noël/Mon beau sapin
6274 039	Voici le mois de mai/A la claire fontaine/Le tournesol/La poupée mécanique

DISCOGRAPHIE

Super 45 tours (Extended Play)

6274 055	Quand tu chantes/Le petit bossu/La récréation/Je te regarde

Philips
6461 035	Voici le mois de mai/Aux marches du palais/C'est bon la vie/La vague/Soleil, soleil/Le tournesol/L'oiselet a quitté sa branche/Mon enfant/A la claire fontaine/L'enfant et la gazelle
9101 511	Le disque d'or

Impact
6993 004	Nana Mouskouri

33 tours (Long Playing)

Impact
6886 123	Nana Mouskouri vol. 1
6886 150	Nana Mouskouri vol. 2
6886 138	Nana Mouskouri vol. 3

Contour
6870 609	Nana Mouskouri in Paris

Grand
Gop 80 004	Vivre avec toi

Fontana
680 267	Les parapluies de Cherbourg
885 519	Remets mon cœur à l'endroit
885 523	Un Canadien errant
885 526	C'est bon la vie
885 527	A l'Olympia
885 535	Le disque d'or
885 549	Une soirée avec Nana Mouskouri et les Athéniens
885 564	Grand Gala
885 713	Roule... s'enroule
6312 025	Pour les enfants
6312 026	Comme un soleil
6325 310	Le tournesol
6325 327	Théâtre des Champs-Elysées
6399 007	Une voix qui vient du cœur
6399 013	Nana
6399 014	Dans le soleil et dans le vent

33 tours (Long Playing)

6399 015	L'enfant au tambour
6399 017	Le jour où la colombe
6399 021	Récital 70
6499 631	Vieilles chansons de France
6499 977	Adieu mes amis
6620 100	C'est bon la vie (2 disques)
6651 004	Pleins feux sur
	Nana Mouskouri
6854 004	Nana Mouskouri's Paris

Philips

6399 095	Noël
6399 097	Vivre avec toi
6399 295	Qu'il est loin l'amour
6399 397	Ballades
6640 039	D'ici et d'ailleurs
6641 919	A Paris
6649 004	Une voix
6680 003	Vedette
6680 281	Le temps des cerises
9101 007	Que je sois un ange
9101 015	Toi qui t'en vas
9101 093	Quand tu chantes
9101 159	Alléluia
9101 213	Nouvelles chansons de la vieille France
9120 091	Nana Mouskouri 76
9120 185	Quand tu chantes
9129 005	Vivre au soleil
9279 009	The Unique Nana Mouskouri
814 609	Quand on revient
814 633	Quand tu chantes/Star Collection
822 935	La dame de cœur
826 391	Ma vérité
830 563	Tu m'oublies
832 929	Par amour
836 593	Classique
838 969	Nana tout simplement

GREC

45 tours (Singles)

EMJ

SCDG 4119	Spiti mou Spitaki mou/Ola ine tyxera

45 tours (Singles)

Fidelity

7001	Ilissos/Mazi me sena
7005	I mana mou me derni/Annitsa mou annoula mou
7033	Kapou iparhi i agapi mou/Fyge
7034	Xero kapio steno/Mia sinnefia
7037	O ymittos/To karavi
7068	Ta pedia tou Pirea/I prodosia
7077	O lukos/O kalos kalo den exi
7090	To kiparissaki/Timoria
7104	Xyrna agapi mou/To tragoudi tis halimas
7134	Kathe trello pedi/Pisso apo tis triandafillies

Fontana

F-1533 (USA)	Kathe trello pedi/Ta pedia tou Pirea
F-1828 (USA)	Sinevi stin Athina/To kiparissaki
261 348 (Greece)	Xero kapio steno/Sinevi stin Athina
261 398 (Sweden)	Kapou iparhi i agapi mou/Pou petaxe t'agori mou
261 413	To kiparissaki
261 534	Pou petaxe t'agori mou/Sto parathiri stekossoun
6010 006 (France)	Enas mithos/Odos oniron

Super 45 tours (Extended Play)

RCA 86 515	Telalees/Fidaki/Oneero/To traino

Fidelity

8006	O kalos kalo den exi
8015	Ta pedia tou Pirea
8019	Erini
8910	Pou petaxe t'agori mou

Fontana

460928	To fengari ine kokkino/Pou petaxe t'agori mou/Kathe trello pedi/Ta pedia tou Pirea/Xypna agapi mou/To tragoudi tis kalimas/O karagiozis/Mia mera akoma
466218	Kontessa kontessina mou/To aroma sou/Erini/To mikro to magazi

33 tours (Long Playing)

EMG
14C 062-70090   Spiti mou, Spitaki mou

Phongram
5385   Christougenniatika tragoudia me tous

Fontana
6312030	Nana Mouskouri à l'Olympia
6312035	Christougena me tin Nana Mouskouri
6325303	Chante la Grèce
6399020	Nana Mouskouri
6444100	Greek Songs
6484001	Ellas i xora ton oniron
6665001	Chants de mon pays
885521	Chants de mon pays

Philips
6312035	Christmas with Nana Mouskouri
6331029	Sings Hadjidakis
6414953	Epitafios
818111	Athina
822997	Odion herodou attikou Nana Mouskouri
826426	I endekati endoli
836803	I mythi mias gynaikas

> ANGLAIS

45 tours (Singles)

Bell
45-70	Soleil, soleil/Ave Maria
45-196	Four and twenty hours/I am a leaf
45-411	Danny come home/The singer
45-442	To be the one you love

Cachet
CS 44500	Roses love sunshine/Nickels and dimes
CS 44505	Even now/Autumn leaves

DISCOGRAPHIE

45 tours (Singles)

Fontana

F-1517	Half a crown/I love my man
F-1641	Scarborough fair/First time ever I saw your face
F-1683	Open your eyes/Turn on the sun
H 383	White rose of Athens/Adios
TF 434	Longing/My special dream
TF 549	Oh Mama Mama/That's my desire
TF 989	My friend the sea/Try to remember
TF 1038	Cucurrucucu Paloma/Over and over
TF 1071	Day is done/Chistos genate
H 802	T'athanato nero/Take my blues away
260 209	Lily of the West/Love tastes like strawberries
260 210	Scarborough fair/First time ever I saw your face
260 261	Mon enfant/Try to remember
261 036	Turn on the sun/Open your eyes
261 327	What now my love/Wildwood flower
261 338	Wildwood flower/Till there was you
261 351	My colouring book/My lover
261 361	The one that got away/No moon at all
261 365	Don't go to strangers/My heart won't listen to me
261 498	Oh Mama Mama/That's my desire
261 547	A taste of honey/Puisque tu vas partir
493 024	A force de prier/The one that got away
6000 047	Four and twenty hours/I am a leaf
6010 031	Mama/The power and the glory
6010 047	A place in my heart/Put your hand in my hand
6010 078	Children of the stars/I have a dream
6010 095	Danny come home/The singer

London

Mscl 45/5576/7	Adios my love/Song of the ages

Philips

6009 563	The three bells/If you go away
6176 002	Roses love sunshine/There's a time
6042 167	Adios my love/White rose of Athens
6042 225	Simple gifts/Land of make believe
6176 002	There's a time/Roses love sunshine

275

45 tours (Singles)

Riverside
R 4513   Addio/White rose of Athens

Carrère
CA171-13849   Only Love/L'amour en héritage

Super 45 tours (Extended Play)

Fontana
Te-17420   White rose of Athens
460 886   White rose/My special dream/My heart won't listen to me/My colouring book

33 tours (Long Playing)

Pickwick
Cn 2018   The white rose of Athens

RCA
Rca 5014   Come with me
Rca 3031   An evening with Nana Mouskouri and Harry Belafonte

Coffret Reader's Digest
     Nana Mouskouri

Grand Records
Glp 80 000   Come with me

Brittania
1977   Nana Mouskouri (tv sales only)

Cachet
Cl 33000   Roses love sunshine

Fontana
680 223   The girl from Greece sings Nana Mouskouri in New York
858 043   What now my love

DISCOGRAPHIE

33 tours (Long Playing)

885 551	The exquisite Nana Mouskouri
885 560	Over and over
6312 008	Turn on the sun
6312 022	A place in my heart
6312 033	Christmas with Nana Mouskouri
6312 036	Presenting... Nana Mouskouri
6312 037	An American album
6641 197	Spotlight on...
6651 003	British concert
9299 227	Book of songs
JB 218	The very best of Nana Mouskouri

Philips

9101 006	Nana Mouskouri at the Royal Albert Hall
6395 069	Reflections
9101 024	Songs of the British Isles
9101 061	Passport
9101 095	Love goes on
6999 514	The magic of Nana Mouskouri
6641 491	Nana Mouskouri story
9103 550	Roses love sunshine
9120 367	The very best of Nana Mouskouri
6499 255	The delightful Nana Mouskouri

Philips

6399 335	Song for Liberty
PHL1 3002	Nana
PHL1 3010	Alone
832 907	Greatest hits
836 497	The magic of Nana Mouskouri
832 039	Love me tender
830 492	Why worry
836 599	Classical
BMC1-1/NMR-1	Return to romance
BMC2-1/NMR-2	Return to romance

277

ALLEMAND

45 tours (Singles)

Fontana

260124	Blumen der Liebe/Aranjuez-Melodie
260264	Weisse Rosen aus Athen/Addio
261289	Einmal weht der Südwind wieder/Ich schau den weissen Wolken nach
261324	Heimweh nach Wind und Meen/Am Horizont irgendwo
261333	Was in Athen geschah/Am Strand von Korsika
261357	Die Worte dieser Nacht/Wir geh'n im Regen
261383	Rote Korallen/Mandelblüten und Jasmin
261497	Die Nacht mit dir/Die Liebe lässt uns nie allein
261522	Alle Blumen dieser Welt/Mon cœur, mon amour
261541	Johnny Tambour/Strasse der hunderdtausend Lichter
261571	Wolken über Meer und Land/Morgen ist der schönste Tag
261597	Letzte Rosen/Alles was mir blieb
265541	Johnny Tambour/Strasse der hunderdtausend Lichter
269306	Wo ist das Glück vom vergangener Jahr/An einem fernen Ufer
269502	Eine Insel im Meer/Im roten Bootslaternenschein
278502	Rote Korallen/Mandelblüten und Jasmin
287601	Eine Insel im Meer/Im roten Bootslaternenschein
6010024	Die alte Mühle und der Wind/Prelude
6010043	Zeig mir den Weg/Mama
6010052	Das darfst Du niemals vergessen/Für ein Wiedersehen mit dir
6832167	Lieder die die Liebe schreibt/Ich will heim zu Dir
6010105	Aranjuez-Melodie/Soledad

278

DISCOGRAPHIE

45 tours (Singles)

Philips

6009583	Träume sind Sterne/Komm, komm sag uns Deinen Traum
6009589	Weisse Rosen aus Athen/Ich schau den weissen Wolken nach
6009648	Adios/Der Wind im Haaren
6009692	Sieben schwarze Rosen/Er ist lang' her
6042111	Schau mich bitte nicht so an/In dieser Nacht
6042137	Die Welt ist voll Licht/Das Meer erzählt so viel von Dir
6042229	Draussen von der Tür/Wenn du auch gehst
6042307	Der Sommer für uns zwei/Guten Morgen Sonnenschein
6042331	Glück ist wie ein Schmetterling/Sing ein Lied
6176001	Lieder, die die Liebe schreibt/Für wen blühen die Rosen
6176005	Für einen Cent/Uber Nacht
6176008	Weil der Sommer ein Winter war/Heimweh ist ein Traum ohne Ende
6176010	Die Rose/Liebe und Tränen
6198374	Du und Er/Der kleine Vogel Hoffnung
6198404	Schiffe, die sich nachts begegnen/Darum bin ich noch bei dir
6198426	La Provence/Des einen Freud ist des anderen Leid
6198528	Domenico/Mein Leben ist wie ein Roman
6837167	Lieder die die Liebe schreibt/Ich will heim zu dir

Super 45 tours (Extended Play)

Fontana

460850	Was in Athen geschah/Am Horizont irgendwo/Am Strand von Korsika/Heimweh nach Wind und Meer
466022	Traumland der Sehnsucht

33 tours (Long Playing)

Contour
CN 2018   White rose of Athens

Club Sonderauflage
63164   Welt Erfolge
64759   Lieder die man nie vergisst
661983   Geliebt und bewundert/Ein Portrait

Fontana
681459   Nana Mouskouri und ihre grossen Erfolge
701596   Weisse Rosen
885518   Strasse der hunderttausend Lichter

Philips
843552   Griechische Gitarren mit Nana Mouskouri
6325199   Sieben Schwarze Rosen
9120086   Die Welt ist voll Licht
9120121   Nana zingt de mooiste Duitse Kerst-
                              liederen
9279009   Eine Welt voll Musik
9120110   Star für Millionen
9120240   Glück ist wie ein Schmetterling
9129001   Lieder die die Liebe schreibt
9129003   Kinderlieder
9129006   Sing dein Lied
6399096   Wenn ich träum'
6685050   Concert' 80
6399277   Meine Lieder sind mein Leben
6448112   Star Magazin
822625   Alles Liebe
6399320   Ein Leben zu zweit « Robert Stolz »
6623084   Musikale Welterfolge
818111   Athen
832943   Du und ich
8145951   Farben
8240191   Vergiss die Freude nicht
6312019   Nana Mouskouri international
6312027   Lieder meiner Heimat
826692   Kleine Wahrheiten
6399398   Nana – ich werd bei dir sein
836483   Konzert der Gefühle

DISCOGRAPHIE

ESPAGNOL

45 tours (Singles)

Fontana
6010 017   Puente sobre aguas turbulentas/Adios mis amigos

Super 45 tours (Extended Plays)

Fontana
460 943   El angel de la guarda/Los paraguas de Cherbourg/Rosa d'Atene/Rosso corallo
460 964   Devuelveme el vivir/Una rosa de Paris/Cancion de amor/El peguene tamborilero

33 tours (Long Playing)

826 799   Libertad
830 703   Con toda el alma
832 958   Tierra viva
834 072   Nana
842 121   Concierto en Aranjuez

HOLLANDAIS

45 tours (Singles)

Fontana
261 562   Kom naar Korfoe/Griekenland
278 503   Witte bloesem en jasmijn/Rode koralen

Super 45 tours (Extended Plays)

Philips
6198 110   Op de grote, stille heide

33 tours (Long Playing)

Fontana
6830 047   Verzoekprogramma

Philips

6325 243	Een stem wit het hart
6641 766	Wereldsuccessen
9120 121	Nana zingt de mooiste duitse kerst-liederen
9120 136	Nana in Holland
836 349	A voice from the heart

JAPON

33 tours (Long Playing)

Philips

FDX	Sings big hits, the world over
FDX	As long as we have dreams
FDX	Folk Songs (collection)
FDX	Portraits of love
FDX	All about Nana Mouskouri
FDX	Big Show
FDX	Four and Twenty hours
FDX	Best hit songs
FDX 162	Albert Hall-Live
FDX 203	Toi qui t'en vas
FDX 228	Songs of the British Isles
FDX 244	Disque d'or
FDX 245	Théâtre des Champs-Elysées
FDX 246	Presenting Nana Mouskouri
FDX	If you go away
FDX 309	Quand tu chantes
FDX 359	Home Concert
FDX 378	Mes plus belles chansons grecques
FDX 452	Passport for love
FDX	Alléluia
FDX 453	Nana Mouskouri à Paris
FDX 463	Love like roses
FDX 530	The anthology for lovers
FDX	Message of love
FDX	Chanson album

DISCOGRAPHIE

33 tours (Long Playing)

FDX	Screen theme
FDX	Chansons de Paris – the 20 best –
FDX	Three bells ring in the valley
FDX	Days of growing cherries
FDX	Lovers in the blue sky/Tommy Davidson
FDX 317	Love goes on
FDX	International
FDX	Olympia theater-live
FDX 7038	Nana Mouskouri-Reflection 18
FDX 9073	My favorite songs
32 PD-261	Nana Mouskouri Ave Maria

PORTUGAIS

33 tours (Long Playing)

830 061	Liberdade

ITALIEN

45 tours (Singles)

Fontana

260 110	Era settembre/Tutta vestita di blu
261 370	Rosa d'Atene/La notte non lo sa
261 421	Quando tu verrai/Rosso corallo
261 509	Oh mamma, mamma/Rosa tra la rosa
261 537	Il tuo sorriso nella notte/Quattro lettere d'amore
261 574	I parapioggia di Cherbourg/Il tamburino
277 001	T'athanato nero/Ela pare mou ti lipi
6010014	Gira Rigira/Cambiera

33 tours (Long Playing)

Fontana

6444 082	Nana Mouskouri in Italia
832 935	Con tutto il cuore

283

CRÉDITS CAHIER PHOTOS

P. 1 : Keystone.

P. 2-3 : D.R./Archives personnelles Nana Mouskouri.

P. 4 : *En haut à gauche* — D.R./Archives personnelles Nana Mouskouri
En haut à droite — Keystone.
En bas — D.R./Archives personnelles Nana Mouskouri.

P. 5 : Just Jaeckin/Phonogram.

P. 6 : Gilles Cappé/Phonogram.

P. 7 : Keystone.

P. 8 : J.P. Laffont/Sygma.

P. 9 : D.R./Archives personnelles Nana Mouskouri.

P. 10 : *En haut* — Keystone.
En bas à gauche — Suzy Souchon.

P. 11 : *En haut* — Jacques Roull.
En bas — D.R./Archives personnelles Nana Mouskouri.

P. 12 : *En haut à gauche* — James Andanson/Sygma.
En haut à droite — D.R./Archives personnelles Nana Mouskouri.

P. 12 et 13 : *En bas* — D.R./Archives personnelles Nana Mouskouri.

P. 13 : *En haut* — Morgan Renard/Sygma.

P. 14 : *En haut* — James Andanson/Sygma.
En bas — D.R./Archives personnelles Nana Mouskouri.

P. 15 : *En haut* — R. Bounon/Phonogram.
Au milieu — H. Tollio/Phonogram.
En bas — Interpress.

P. 16 : D.R./Archives personnelles.

TABLE

Achevé d'imprimer en novembre 1989
sur presse CAMERON
dans les ateliers de la S.E.P.C.
à Saint-Amand-Montrond (Cher)
pour le compte des éditions Grasset
61, rue des Saints-Pères, 75006 Paris

N° d'Édition : 8069. N° d'Impression : 9901-2141.
Dépôt légal : novembre 1989.

Imprimé en France

ISBN 2-246-39211-X